Trojan, Johann

Für gewoehnliche Leute

Trojan, Johannes

Für gewoehnliche Leute

Inktank publishing, 2018

www.inktank-publishing.com

ISBN/EAN: 9783750135499

All rights reserved

Für gewöhnliche Leute

Hunderterlei in Versen und Prosa

von

Johannes Trojan

Zweite Auflage

Berlin
G. Grote'sche Verlagsbuchhandlung
1908

Inhaltsverzeichnis

Haus und Garten

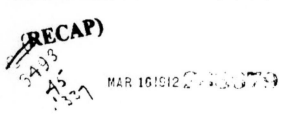

VI

Aus der Stadt

Feld, Wald und Heide

VIII

Haus und Garten

Trojan, Für gewöhnliche Leute

Was im laufenden Jahr gut zu tun ist

Im Januar ist gut: beginnen
Allerlei Werk mit muntern Sinnen,
Holz klein machen und Federn spitzen
Und nicht zu lange im Wirtshaus sitzen.

Im Februar ist gut: brav sich zu regen
Des so knapp geschnittenen Monats wegen,
Fleißig sein und was Rechts erreichen,
Auch mal tanzen und Fiedeln streichen.

Im März ist gut: sich sauber kleiden,
Zorn und unnütze Reden meiden,
In böse Witterung still sich schicken,
Gegen das End' hin auch Veilchen pflücken.

Im April ist gut: tätig sein,
Kartoffeln legen und Körner streun,
Gott und der eigenen Kraft vertrauen —
Für die es sich schickt, auch Nester bauen.

Im Monat Mai gerät alles gut,
Was man mit Lust und Liebe tut,
Ganz besonders: Säen, Pflanzen und Graben,
Rechttun, Worthalten und Hoffnung haben.

Im Juni ist gut: Heu einfahren,
Unkraut jäten und Taler sparen,
Von den Nachbarn freundlich sprechen
Und bis Johanni auch Spargel stechen.

1*

Im Juli ist gut: Roggen schneiden,
Hader, Zank und Erkältung meiden,
Sich mit dem, was man hat, begnügen
Und ins Kommende still sich fügen.

Im August ist gut: fröhlich sein
Bei schwerer Arbeit im Sonnenschein,
Frucht ernten von Halmen, Zweigen und Ranken,
Und, wenn's auch wenig ist, sich bedanken.

Im September ist gut: Holz aufschichten,
Für den Winter sich einzurichten,
Sodann: der Armut nicht vergessen
Und keine unreifen Pflaumen essen.

Im Oktober ist schlecht: Prozesse führen,
Spekulieren und Geld verlieren,
Gut hingegen ist: Trauben lesen,
Wenn es ein leidlich Jahr gewesen.

Im November ist gut: den Tag ausnützen
Und nach der Arbeit am Feuer sitzen,
Etwas Gutes erzählen oder hören,
Auch Gänse braten und Becher leeren.

Im Dezember ist gut: Walnuß knacken,
Äpfel braten und Kisten packen,
Kinder erfreun mit Weihnachtsgaben.
Gott geb', daß wir's dazu übrig haben!

Schneeglöckchen

Welch ein Wunder ist's, das ich seh'!
Was steht Reizendes hier im Schnee!
Aus den niederfallenden Flocken
Wurden liebliche Blütenglocken.

Froher Gang

Es gibt doch Dinge, die der Ärmste auch
So gut hat wie der Reiche, die der Reichste
Mit allem Gold sich nicht erwerben kann,
Sind sie einmal vom Himmel ihm versagt.
Und wenn mir's einmal noch so schlecht erginge,
Ein Undankbarer müßt' ich mir erscheinen,
Wollt' ich dann murren. Also froher Tag
Ist mir beschieden, und noch beßrem Tage
Seh' ich entgegen und noch größrem Glück.

Philosophierend also bei mir selber,
Ging durch die Straßen ich der großen Stadt.
Da drängten sich, wie jeden Tag, die Menschen,
Und weil ich wenig ihrer achtete,
Stieß ich an diesen und an jenen an
Und hören mußt' ich manch unfreundlich Wort.
Doch nicht verdroß mich's, nicht verderben konnt' es
Die gute Laune mir, in der ich war.
Vom Tischler kam ich und ich ging nach Hause.

Was war's, das mich so froh gemacht, das mir
Das Herz erweitert und den Blick erhellt?
Ein Bettgestellchen hatt' ich mir bestellt.

Der alte Schrank

Vor einem alten Schrank von schöngefügtem Bau,
Den reiches Schnitzwerk ziert, sitzt sie, die alte Frau.
Im Lehnstuhl sitzt sie da und sinnt und denkt zurück
An alte Zeiten, dann ruht auf dem Schrank ihr Blick.
Wie schön er ist, spricht sie zu sich, welch eine Pracht
Solch altes Stück! Auch das wird heut nicht mehr gemacht.
Ja, damals ging noch, wer ein Möbel haben wollte,
Zum Meister hin und sagt' ihm, wie er's machen sollte.
So macht es, Meister, mir und so — sprach man — und laßt
Euch Zeit dabei, nichts wert ist, was gemacht in Hast.
Macht's gut, macht sauber es, meßt alle Teile ab
Genau, daß nichts daran zu viel ist, nichts zu knapp;
Daß, was zu schließen ist, gut schließt, und was heraus
Zu ziehen, leicht sich zieht. So, Meister, führt es aus!
Allein, was red' ich viel! Wir kennen uns ja lange,
Daß Ihr nicht gut es macht, davor ist mir nicht bange.
Steht doch in unsrem Haus manch Stück von Eurer Hand,
Schon von den Eltern her seid Ihr uns ja bekannt,
Und manch Geschlecht noch wird erfreun das, was Ihr schafft,
Denn Eure Arbeit ist so fein wie dauerhaft.
Der Meister hört es an und nickt dazu und spricht:
Ich mach's nach meiner Art. Mißfallen soll's Euch nicht.
Darauf geht er ans Werk und geht daran mit Lust,

Für wen bestimmt es ist, bleibt ihm dabei bewußt.
Er sinnt darauf, daß den, für den er schafft, es freue,
So schafft mit Sorgfalt er, mit Liebe und mit Treue.
Doch heutzutage — wem wohl von den Leuten fällt
Es ein, daß er ein Stück beim Meister sich bestellt?
Nach einem Laden nur braucht heute man zu laufen,
Um fertig alles schon, was man bedarf, zu kaufen.
Nun denn, das tut man auch und kauft ohn' viel Bedacht,
Was auch gedankenlos und lieblos ist gemacht.
Was wußte, der's gemacht, von dem, der es zuletzt
Durch Zufall sich erwirbt und dementsprechend schätzt?
Gleichgiltig ist es dem, der es verfertigt, wie
Dem, der es kauft. Es wird im Hause heimisch nie.
Du aber, wie ein Freund des Hauses scheinst du mir,
So lieb und so vertraut! Wie lang schon stehst du hier,
Du alter Schrank, der du um meine Kinderzeit
Alt warest schon — wie viel sahst du an Freud' und Leid!
So manche Träne ist vor dir geweint, und oft
Hast du belauscht, was wir gefürchtet und gehofft.
Du sahst das Kind, das noch nicht sprechen konnte, du
Vernahmst sein Lallen und sahst seinen Spielen zu.
Dir klagt' ich meinen Schmerz, dir hab' ich meine Lust,
Mein Glück dir anvertraut, eh' andre drum gewußt.
Und eh' sie mich hinaus aus diesem Hause tragen,
Wirst du mich sehn und wirst ein Lebewohl mir sagen.
Armsel'ge Möbel, die der neuen Zeit entstammen!
Sie brechen hilflos schon, noch eh' sie alt, zusammen.
Hier wirft das Holz sich, dort geht eine Leiste los,
Klafft eine Spalte auf — ein unvorsicht'ger Stoß,
Und sieh, da liegt ein Fuß! Verstümmelt auf die Seite
Neigt sich — ein Jammer ist's — das Meisterwerk von heute.

O diese Zeit, wie ist erbärmlich sie! Der Schein
Genügt bei allem ihr und gilt bei ihr allein.
Wohin entflohen ist die Ehrlichkeit? Wohin
Die Treue? Alles strebt nach flüchtigem Gewinn!
Die Alte spricht's, fast hätt' die Hände sie gerungen,
Da fühlt sie plötzlich von zwei Ärmchen sich umschlungen.
Sie sieht, umwendend sich, ein liebliches Gesicht,
Das goldnes Haar umrahmt — die Hände ringt sie nicht.
Sie streichelt das Gesicht des Enkelkinds. Fürwahr,
Sagt sie, ich dachte nicht an dieses goldne Haar,
An diese Äuglein nicht. Ich war voll Bitterkeit,
Da kommst du her, um zu verteid'gen unsre Zeit,
Zu sagen brauchst du nichts, mein Kind, ich geb' dir recht:
Trotz mancher Mängel — nein, die Zeit ist doch nicht schlecht!

Die liebe Not

Warum die Not wird lieb genannt,
Das war mir lange unbekannt,
Bis ich's von einer Frau erfahren.
Es war umringt von Kindern sie,
Die all noch hilfsbedürftig waren,
Und einer meinte: viele Müh
Müßt' sie doch haben mit der kleinen Schar.
„Ja," sagte sie, und ihre Mienen
Erhellten sich, „ja, es ist wahr,
Ich habe meine liebe Not mit ihnen."

Maus im Zimmer

In meinem Zimmer ist eine Maus,
Nett wie die Mäuschen alle,
Drum jag' ich sie auch nicht hinaus
Und stell' ihr keine Falle.

Sie huscht herein, wenn ich da steh'
Beim Schreiben oder im Sinnen,
Und huscht hinaus, und wieder seh'
Ich sie auf einmal drinnen.

In meine Schränke guckt sie hinein,
Darin herum zu spüren;
Ich denk', es muß ja wohl so sein,
Und schließe nicht ab die Türen.

In meine Bücher guckt sie auch,
Die ihr doch nicht gehören;
Ich denk', das ist so Mäusebrauch,
Und hüte mich, sie zu stören.

Sie weiß genau, wo ich für sie
Etwas zu naschen habe,
Und unbescheiden wird sie nie,
Ist froh bei kleiner Gabe.

In einem Eckchen sitzt sie dann,
Sich drüber her zu machen,
Ihr Knuspern hört sich lustig an,
Ich muß im stillen lachen.

Und nun — hört da nicht alles auf? —
Geht sie mir gar zu Leibe:
Sie klettert zu mir ans Pult herauf,
An dem ich steh' und schreibe.

Zur Seite seh' ich — da ist die Maus!
Ich werde sie schelten müssen.
Säh sie nur nicht so schalkhaft aus,
So herzig, so zum Küssen!

Und wenn ich ins Gesicht ihr schau',
Dann tut sie gar nicht erschrocken.
Sie hat zwei Äuglein, die sind blau,
Und goldig sind ihre Locken.

Es wird gesucht

Es wird gesucht ein junger Gesell,
Der das Herz hat auf der rechten Stell',
Wohlgestaltet und gut zu schauen,
Und dem man gern mag etwas vertrauen;
Der sich nicht fürchtet vor der Welt,
Seinen Freunden die Treue hält;
Der was gelernt hat und weiß und kann,
Sich geschickt stellt und fleißig an,
Gegen Jungfrauen ist bescheiden,
Hochmut und Lüge nicht mag leiden,
Gern anhört eine gute Lehre
Und nicht auf Geld sieht, sondern auf Ehre.

Es wird gesucht ein Jungfräulein,
Von Antlitz lieblich, von Sitten fein,
Das emsig sich wie ein Bienlein regt,
Nicht eitel ist, doch sich zierlich trägt;
Das zu reden weiß und zu schweigen,
Ordnung zu halten in ihrem Eigen,
In Küch' und Keller weiß Bescheid,
Mägden gebietet mit Freundlichkeit;
Das frommen Sinns ist und klug dabei,
Ein fröhlich Herz hat, von Falschheit frei,
Sich nicht zieren mag noch verstelln:
Das ist bestimmt für den jungen Geselln,
Sich ihm fürs Leben zu verbinden —
Wolle Gott, daß sie einander finden.

Hauszauber

Es ist, als müßt' ein Zauber
Dabei im Spiele sein,
Daß alles ist so sauber
Im Hause und so rein:
Die Dielen und die Wände,
Das Holzgerät und Glas —
Und sind doch nur zwei Hände,
Nur die bewirken das.

Betritt man nur die Schwelle,
So fühlt man schon sich froh;

12

Es waltet eine Helle
Im Haus, die schmückt es so.
Viel Pracht nicht würde taugen
Dazu und Reichtum nicht —
Es ist nur ein Paar Augen,
Das spendet so viel Licht.

So ruhig ist es drinnen,
Man hört kein hartes Wort;
Wer Hader denkt zu spinnen,
Bleibt von der Türe fort.
Es ist so eine Stille
Im Hause allerwärts —
Und diese ganze Fülle
Von Frieden schafft e i n Herz.

Vom Umgang mit Büchern

Mit Büchern umzugehen ist im ganzen leichter als mit Menschen, ganz leicht aber doch auch nicht. Die meisten Menschen gehen mit Büchern schlecht um, und darauf beschränkt sich ihr Verkehr mit ihnen. Freilich liegt in vielen solcher Fälle die Schuld auch mit an den Büchern.

Gewöhnlich werden Bücher gekauft, um gelesen und dann hingeworfen zu werden wie die Schalen einer Frucht, die man genossen hat, und allerdings ist auch das meiste von dem, was die gewöhnliche Marktware bildet, nicht des Aufhebens wert.

Wenige schaffen sich Bücher an mit der Absicht, sie für Lebenszeit als Gesellschaft zu behalten. Damit fängt aber erst das wahre Vergnügen am Bücherbesitz an. Welch eine angenehme Unterhaltung gewährt es einem, sich umzusehen unter seinen Büchern wie in einem Garten; das kommt der Lust nahe, die der Umblick in der freien Natur gewährt. Es ist natürlich, daß, wer überhaupt Bücher liebt, auch auf ihr Äußeres Wert legt. Uneingebundene Bücher sind für jeden derartigen Menschen ein Greuel. Sie stehen zwischen den ordentlich angezogenen umher wie Männer in Hemdsärmeln. Noch mehr Verdruß aber als die broschierten bereiten die sogenannten kartonierten Bücher, welche den Anspruch erheben, ordentlich gekleidet zu sein und es doch nicht sind, sondern den Eindruck von Leuten machen, die mit Papierwäsche und in kariertem,

baumwollenem Sommeranzug in eine anständig gekleidete Gesellschaft hineingeraten sind. Aber von allem das Greulichste
sind die Bücher in den modernen, fabrikmäßig hergestellten
Kattun-Einbänden, welche nach etwas aussehen, aber möglichst
wenig kosten sollen. Dabei kommt alles zutage, was Ge-
schmacklosigkeit in Verbindung mit Armseligkeit leisten kann.

Was broschiert gekauft ist, muß natürlich gebunden, ehe
es aber zum Buchbinder geschafft ist, dem Anblick entzogen
werden; wie denn ja auch ein Mensch, ehe er sich ordentlich
angezogen hat, in seiner Kammer sich zu verbergen pflegt. Was
des Bindens nicht wert erscheint, muß, wenn es sich weder
aus dem Hause schaffen, noch vernichten läßt, in einen dunkeln
Raum weggestaut werden, in den weder die Sonne hineinscheint
noch der Mond mit den Sternen. Was aber behalten werden
soll, muß zum Buchbinder geschafft werden, damit er es gut
einbinde. Das ist leicht gesagt, aber nicht leicht zu erreichen.
Kein Wunder ist es, daß die Buchbinderei bei uns im allgemeinen wenig Erfreuliches leistet. Bei dem Vorherrschen der
billigen Fabrikarbeit und dem Mangel an Nachfrage nach ge-
diegenen Einbänden ist es gar nicht anders möglich. Wer ruft
jetzt noch den Buchbinder zu sich, bespricht sich mit ihm in
Muße, und sagt zu ihm: „Meister, macht es so gut Ihr könnt,
denn das Buch ist mir lieb." So, denke ich mir, ging es in
der alten Zeit zu, und ich urteile so nach den geschmackvoll ge-
bundenen Büchern aus alter Zeit, die ich besitze. Solche
wurden in Deutschland noch bis zum Ende des achtzehnten Jahr-
hunderts, ehe die große Pauvreté begann, hergestellt, ganz zu
schweigen von alten englischen und französischen Einbänden. Ich
schäme mich nicht des Geständnisses, daß ich mir manches Werk
alter englischer und französischer Autoren, das mich gar nicht
interessiert und das ich nie lesen werde, gekauft habe, nur um

meine Augen an dem Einbande zu erfreuen. Sieht man dergleichen und vergleicht es mit dem, was bei uns neuerdings geleistet wird, so kommt man auf den Gedanken, es sei doch eine seltene Kunst, Einfachheit mit Geschmack zu verbinden.

Doch wenige werden überhaupt darüber nachdenken, weil es wenigen heutzutage daran gelegen ist, ein Buch wirklich zu besitzen, und für die vorübergehende Benutzung oder wenn es gar nur aus der Leihbibliothek bezogen wird, kommt es nicht darauf an, ob es schön und haltbar gebunden ist oder nicht. Wer tritt denn noch in einen persönlichen Verkehr mit Büchern, in dem sich Zuneigung und Abneigung fühlbar macht? Die Zuneigung gibt sich dadurch zu erkennen, daß man einem Buch eine gute Ausstattung und den möglichst besten Platz gibt. Die Abneigung gegen ein Buch macht auf mancherlei Art sich bemerkbar und kann bis zum Hasse sich steigern. Man empfindet sie besonders denjenigen Büchern gegenüber, mit denen man betrogen zu sein glaubt oder sich selbst betrogen hat. Denn man kauft im Laufe der Zeit, durch den Titel, durch den Namen des Autors oder durch eine Empfehlung verführt, so manches, was sich bei näherer Besichtigung als inhaltloses Machwerk erweist. Und gerade solche Bücher sind es, die einem immer wieder aufdringlich in die Augen fallen, wenn man in seinem Büchergarten sich umsieht. So habe ich einmal 27 Pfund derartige Bücher ausgemustert und zu einem Pfennig das Pfund an eine alte Trödlerin verkauft. Ich hätte wohl noch ein paar Mark lösen können, wenn ich sie zum Antiquar gebracht hätte, aber das wollte ich nicht. Mir tat der Gedanke wohl, daß ich sie um schnöden Preis verkauft hatte, und daß sie dem wohlverdienten Schicksal, eingestampft zu werden, entgegengingen. Die gewonnenen 27 Pfennige legte ich in Reis für Sperlinge an.

Wer viel mit Büchern umgeht, lernt nicht nur ihre angenehmen Seiten kennen, sondern auch mancherlei Untugenden und Tücken. Mir sagte ein alter Herr einmal: ein gebundenes Buch muß zweierlei gute Eigenschaften haben: es muß liegen bleiben genau so, wie man es aufgeschlagen hinlegt, und es muß stehen bleiben, wie man es hinstellt. Diese beiden Tugenden zusammen besitzen moderne Bücher in wenigen Fällen. Diejenigen mit fabrikmäßig hergestellten Einbänden haben aber besonders die unangenehme Neigung umzufallen, und zwar deshalb, weil sie erstens in der Regel schwächlich und schmächtig gebaut, zweitens aber von dem ersten Leser bereits schief gelesen sind. Das Umfallen aber wirkt ansteckend und zieht, von einem einzelnen Bande ausgehend, häufig eine ganze Reihe in Mitleidenschaft. Und noch mehr — während des Umfallens geraten sie anscheinend manchmal miteinander in Streit und poltern dann, übereinander stürzend, von dem Bord, auf dem sie standen, hinunter, wie Leute, die in einem Wirtshaus Streit miteinander bekommen haben und plötzlich in fürchterlicher Unordnung aus der Tür und die Treppe hinunter auf die Straße stürzen.

Eine andere üble Gewohnheit von Büchern ist es, sich zu verstecken, und diese ist insonderheit guten Büchern eigen und denen, die man gerade notwendig braucht. Ich kann es mir nicht anders denken, als daß die Bücher, wenn sie gar nicht zu finden sind, ihrem Besitzer einen Streich spielen wollen.

Drei Wünsche habe ich, die ich mir oft in Gedanken erfülle. Erstens möchte ich ein Haus haben mit schönen Räumen überhaupt und zumal mit einem guten Gelaß zur Aufstellung meiner Bücher. Bei dem Hause muß ein Garten sein, reich an schönen Blumen, Bäumen und Sträuchern und auch mit einer Abteilung für Gemüse und Suppenkräuter. Unter dem Hause aber muß ein trefflich bestellter Weinkeller liegen. Es ist keine Aussicht dazu vorhanden, daß mir je diese drei Wünsche erfüllt werden oder auch nur einer von ihnen. So muß ich mich beruhigen mit dem Gedanken, es sei manchmal dem Menschen nicht gut, wenn er das bekommt, was er sich wünscht, und er habe viel= leicht, wenn er recht darüber nachdenkt, schon was ihm gut ist, bekommen. So will ich mich denn bescheiden, aber ich muß doch sagen, daß mir manchmal angst und bange wird, wenn ich sehe, wie meine Bücher sich mehren und wie ich mehr und mehr von ihnen eingebaut werde. Aber ich glaube — und das tröstet mich — sie selbst sind ohne Sorge deswegen. Die meisten von ihnen haben schon manchmal den Besitzer ge= wechselt. Daß sie immer irgendwo Platz finden werden, dessen sind sie gewiß, und wo ich endlich bleibe — lieber Himmel, das bekümmert sie nicht.

Wunderschlüssel

O wie viel mit wenig Müh
Läßt sich doch erreichen!
Hier im Buch stehn — komm und sieh! —
Vierundzwanzig Zeichen.
Wer sie fein im Kopf behält,
Hat die Schlüssel zur ganzen Welt.

Gefüllte Blumen

Es kann dir jeder Gärtner sagen,
Daß gefüllte Blumen nicht Früchte tragen.
Auch die gefüllt so prächtig blühn,
Muß man aus einfachen Blumen ziehn.

Etwas von oben

Ich will am Morgen das Fenster öffnen, da bemerke ich, daß draußen auf dem Blech des Simses, nahe dem Rande desselben, ein kleiner grüner Zweig liegt. Ich mache vorsichtig das Fenster auf und nehme ihn herein. Es ist ein kleines Bruchstück eines Topfgewächses, das von oben gekommen ist. Offenbar ist das Zweiglein abgebrochen und aus dem Fenster geworfen oder gefallen; ein günstiger Wind hat es an den Ort geführt, wo ich es gefunden habe. Ich will es einpflanzen und zusehen, ob es anwächst.

Aber eine Rechtsfrage ist vorher zu erledigen. Gehört es mir auch? Ich glaube, diese Frage ist mit ja zu beantworten. Wenn ich nicht irre, so hatte nach altdeutschem Recht der Besitzer eines Grundstücks Anspruch auf dasjenige, was durch Windbruch aus dem Nachbargrundstück auf seinen Grund und Boden geführt wurde. Nun, um einen solchen Fall handelt es sich. Das Blech des Fenstersimses gehört zu meinem Grund und Boden, auf den aus dem Nachbargrundstück, das eine oder zwei Treppen hoch über mir liegt, ein Stückchen von einer Zierpflanze gefallen ist. Ich darf rechtlich darauf Anspruch erheben. Dehnten wir nicht als Kinder in ähnlichem Fall unser Recht sogar auf neutralen Boden aus? Wenn z. B. von einem über einen Zaun oder eine Mauer hinüberreichenden Zweige ein Apfel auf den Weg gefallen war, und wir fanden ihn, so

2*

26

haben wir ihn, wenn ich mich recht erinnere, ohne weiteres aufgegessen. Oder sind unter uns welche, die in einem solchen Fall anders handelten, etwa den Apfel liegen ließen oder ihn dem Besitzer des Baumes brachten? Ich würde ihre Tat bewundern, aber menschlich näher träten sie mir nicht durch dieselbe.

Mag das nun mit dem Apfel in Ordnung gewesen sein oder nicht — was das Zweiglein betrifft, so habe ich gar kein Bedenken, es als mein Eigentum zu betrachten. Also fülle ich einen kleinen Topf mit Gartenerde und pflanze es da hinein. Vierzehn Tage steht es im Schatten und bleibt anscheinend unverändert; nach vierzehn Tagen rührt es sich. Nun wird es in die Sonne gestellt und fängt zu wachsen an. Es geht in die Höhe und verzweigt sich, und im Hochsommer ist es ein tüchtiger Busch, der über und über mit Dolden brennend roter Blumen bedeckt ist. Was für ein Prachtstück ist aus meinem Findling geworden! Ich sehe ihn an mit einer gewissen Zärtlichkeit. Wird einem doch das besonders lieb, was einem zugeflogen oder zugetragen ist, das Geschenk eines günstigen Zufalls. Unwillkürlich denkt man, wie das Glück es gebracht hat, so müßte es selbst auch Glück bringen.

Das große Brot

Vom Bäcker kommt ein Brot ins Haus,
Ein Brot, das ist so groß!
Die Mutter, die sieht fröhlich aus
Und schneidet frisch drauf los.

Die Kinder stehn all um sie her,
Und jedes heischt sein Teil;
Wenn eins gefragt wird: Willst noch mehr?
Dann sagt es ja in Eil.

Die Mutter hat nicht wenig Müh,
Sie schneidet Stück auf Stück,
Am Ende aber bleibt für sie
Ein Käntlein doch zurück.

Die Mutter spricht: „Laßt froh uns sein,
Daß wir nicht leiden Not!
Wo so viel Münder sind, wie klein
Wird rasch ein großes Brot!

Gib Gott, daß überall wie hier
Es reicht, bis alle satt,
Daß jede Mutter auch gleich mir
Zuletzt ihr Käntlein hat!"

Das schlafende Kind

Sieh, da liegt mit ros'gen Wangen
Unser Kind, von Schlaf umfangen,
Schläft so sanft und ungestört,
Daß man kaum es atmen hört.

Schlaf in Ruh und schlaf in Frieden,
In dem Schutz, der dir beschieden.
Gar so friedlich ist es hier,
Mutterlieb wacht über dir.

Über dir der Mutter Augen,
Soll das nicht zum Schlafen taugen?
Und des Hauses sichres Dach
Schirmt vor Sturm und Ungemach.

Überm Dach in Himmels Ferne
Wachend stehn die goldnen Sterne.
Über Sternen hält die Wacht,
Der durch dich uns glücklich macht.

Die Maler kommen

Das Haus wird frisch angestrichen, die Maler kommen! Dieser Schreckensruf schallt um die Frühlingszeit durch manches Haus in Berlin, und kaum ist er verhallt, so haben auch schon die farbenfrohen Männer ihre hängenden Gerüste befestigt. Schon stehen sie auf den schwanken Brettern, „schweben auf, schweben ab, neigen sich, beugen sich". Es ist sehr merkwürdig, daß sie einem, wenn man in seinem Zimmer ist, immer gerade vor dem Fenster schweben. Sie könnten doch auch einmal an einem anderen Teil der Vorderseite des Hauses sich zu schaffen machen, das Haus ist ja so hoch und breit — aber nein, so oft ich in mein Zimmer komme, fällt mein Blick auf vor den Fenstern sich hin und her bewegende Gestalten. Angenehm ist es den Malern auch nicht, daß sie immer vor meinen Fenstern schweben. Wenn sie einmal ins Zimmer hineinsehen, so lese ich in ihren Augen die Worte: „Nur ruhig weiter arbeiten! Wir wollen nicht stören und sind gar nicht neugierig." Daß sie ganz still sind, kann ich nicht verlangen. Sie pfeifen mitunter, was mir nicht unangenehm ist, und singen manchmal auch Lieder, von denen einige gut sind, andere mir weniger gefallen. Mitunter sehe ich ganz gern ihrer Arbeit zu, wenn ich mir auch sagen muß, daß dieses die wahre Kunst nicht ist. Diesen Eindruck empfange ich besonders, wenn sie den zu beiden Seiten meines Erkers an-

gebrachten Karyatiden mit den in dicke graue Ölfarbe getauchten
Pinseln über Gesicht und Busen fahren.

Das Ganze dauert etwas länger, als ich für wünschens=
wert halte. Manchmal hörte ich die Seile schnurren und sah
die Köpfe der Künstler unter meinem Fenstersims verschwinden.
Dann sagte ich zu mir: Gottlob, sie sind fertig! Aber nicht
lange darauf schnurrte es wieder, und die Künstler kamen
wieder heraufgefahren, um sich aufs neue in der Gegend meiner
Fenster zu schaffen zu machen. Denn es wird sehr gründlich
vorgegangen. Erst wird das Haus abgebürstet, dann abgewaschen,
dann einmal und dann noch einmal gestrichen.

Aber ein Ende hat endlich alles, und wenn man sich dann
nach vollendetem Anstrich das Haus von der Straße aus an=
sieht, wie es glänzt und gleißt in fetter Ölfarbenpracht, sagt
man sich: Schön ist es doch. Durch einfaches Abseifen des
Hauses, wie ich es am Pfingstsonnabend in Oberstein an der
Nahe an einem allerdings nur kleinen Gebäude vornehmen
sah, läßt sich ein solcher Glanz nicht erreichen. Und nun haben
wir, was das beste ist, für einige Jahre wohl — wenn wir
hier wohnen bleiben — Ruhe.

Und etwas Gutes verdanke ich auch den Malern, auf
das ich gar nicht gerechnet hatte. Als heute meine Frau in
mein Zimmer kam, sagte sie: „Wie schön riecht es hier, gerade
so, wie es immer in Großvaters Zimmer roch." Um die Sache
festzustellen, ging ich hinaus, und als ich wieder in mein Zimmer
kam, fand ich es ganz erfüllt von lieblichstem Waldmeistergeruch.
Das stimmte zu dem, was meine Frau mir gesagt hatte, denn
in ihres Großvaters Zimmer hingen das ganze Jahr hindurch
Kränze von Mösch, wie in Mecklenburg der Waldmeister ge=
nannt wird, und erfüllten es mit Wohlgeruch. Mösch nämlich
fängt an zu duften, wenn er welk wird, und bewahrt den

Duft trocken sehr lange Zeit. Ein einziges Pflänzchen, in ein Taschenbuch gelegt, erhält dieses Jahre hindurch wohlriechend.

Wie kam aber in mein Zimmer der Maikrautgeruch, da ich keinen Waldmeister darin hatte? Ich fand bald die Lösung des Rätsels. In den Tabak wird die Tonkabohne, der Samen der Dipterix odorata, hineingetan, um dem Rauchkraut einen angenehmen Geruch zu geben. Das Aroma aber der Tonkabohne ist dasselbe wie das des Waldmeisters, Kumarin heißt es.

Nun hatte einer der Maler Tabak mit Tonkabohne geraucht, und durch das geöffnete Fenster war der Duft in mein Zimmer gezogen. Ich hoffe, er erhält sich recht lange darin, oder die Maler kommen bald wieder.

Das Wunderkind

Hört einmal an,
Was unser Lottchen
Schon alles kann:
Sie läuft wie ein Häschen,
Sie spricht wie ein Star,
Sie bläst schon ein Licht aus —
Und ist eben ein Jahr!

Braut in Haaren

Es ist eine Blume weit bekannt,
Jungfer im Grünen wird sie genannt.
Sie hat noch andere Namen mehr,
Darunter einer gefällt mir sehr:
Sie heißt auch Braut in Haaren.

Zur Zeit, als es die Sitte war,
Daß Jungfraun gingen mit losem Haar,
Da nannte man das „in Haaren gehn",
Daraus der Name ist zu verstehn
Der Blume Braut in Haaren.

Die Blume ist von zartem Bau,
Von des Wassers Farbe, lieblich blau;

Umschlossen ist sie von lichtem Grün
Haarfein zerteiltem — so siehst du blühn
Die Blume Braut in Haaren.

Ob sie auch schön ist von Angesicht,
Eine vornehme Blume ist sie nicht.
Aus der Reichen Gärten ist sie verbannt
Und aus den Städten hinaus aufs Land,
Die Blume Braut in Haaren.

Im Bauerngarten auf dem Beet,
Wo brennende Lieb' und Raute steht,
Da ist sie immer noch gern gesehn,
Da seh' ich als Wandrer oft sie stehn,
Die Blume Braut in Haaren.

Dann tret' ich hin an den Gartenzaun,
Um ihr in das Angesicht zu schaun.
Wir beide stehn uns auf du und du;
Sie lacht mich an und ich nick' ihr zu:
„Guten Morgen, Braut in Haaren!"

Brennessel

Als unverträglich muß sie gelten,
Aber mit Ruhe nimmt sie's hin.
Sie hat davon doch einen Gewinn:
Ob man sie tadeln mag und schelten,
Feindsel'ge Hand berührt sie selten.

Die eilige Schnecke

Schneckchen, Schneckchen! laß dir Zeit!
Mußt so sehr nicht laufen!
Hast gewiß nicht mehr so weit,
Kannst einmal verschnaufen.

Schneckchen spricht: „Da liegt ein Ort
Drüben bei den Bäumen.
Nächste Woch' ist Kirmeß dort,
Möcht sie nicht versäumen.

Daß ich mit beim Tanze bin,
Wirst du mir wohl gönnen.
Wenn ich nun noch will dahin,
Muß ich da nicht rennen?"

Des Vaters Arbeit

Der Vater an den Schreibtisch tritt
Und wundert sich, was er erschaut:
Seltsames sieht er liegen da —
Wer hat ihm das wohl aufgebaut?

Die Puppe wäre wunderfein,
Nur daß sie eine große Zier
Verloren hat: ihr schöner Kopf
Mit echtem Haar liegt neben ihr.

Ans Schreibzeug haben angelehnt
Sich ihrer zwei, die allerdings
Frei dazustehn nicht sind imstand:
Ein Löwe rechts, ein Lämmchen links.

Der Vater sieht sie an genau,
Da wird das Herz ihm kummerschwer.
Zusammen haben Löw' und Lamm
Fünf Beine, ach, nur und nicht mehr.

Sieh, unterm Tisch ein Wagen steht,
Der auch schon schwer gelitten hat:
Los ist die Deichsel, und es fehlt
Ein Vorder- und ein Hinterrad.

Und auf dem Fensterbrette, schau,
Ist aufgestellt in langer Reih
Der schönste Hausrat aller Art,
Doch leider alles ist entzwei.

An einem Spiegel fehlt das Glas,
Ganz aus dem Leime ging ein Schrank;
Schief steht ein Sofatisch, gewiß
Fühlt er sich recht bedenklich krank.

Die Stühle leiden gleiche Not
Wie Lamm und Löwe: wenn man zählt
Die Beine, die sie haben noch,
Merkt man, daß fast die Hälfte fehlt.

Der Vater sieht sich alles an
Und trüb wird ihm dabei zumut!

Um alles dieses stand es doch
Vor wen'gen Tagen noch so gut!

Und wie den Schaden er besieht,
Bald diesen und bald jenen Teil,
Da ruft durch die halboffne Tür
Ein Stimmchen: „Bitte, mach' es heil!"

Was soll der arme Vater tun?
Muß seine Arbeit lassen stehn
Und allsogleich, so gut es geht,
Ans Heilen und ans Leimen gehn.

Das ist so leicht nicht, wie ihr denkt,
Fleiß fordert es und viel Geduld,
Bei mancher andern Arbeit schwitzt
Der Vater nicht so sehr am Pult.

Ja, manchmal wird er ärgerlich:
Das Lämmchen hält durchaus nicht still,
Und was ist mit der Puppe los,
Daß ihr der Kopf nicht sitzen will?

Nein, keine leichte Sache ist's,
Heil machen, was entzwei gemacht.
O Lamm und Löw', o Stuhl und Tisch
Und Puppen, nehmt euch doch in acht!

Gute Zeit

Wahrlich, nun hat's keine Not,
Sommer hat gesorgt für Brot.
Unterdes an Baum und Strauch
Schwoll es an und reifte auch.
Bunte Früchte zum frohen Mahle
Bringt der Herbst in bekränzter Schale.

Die sieben Schläfer

Durch den Wald geh' ich in dunkler Nacht.
O wie finster ist's, herabgesunken
Ist der Mond, der mir vorhin geleuchtet,
Und mit Müh nur find' ich meinen Pfad.
Bald nach oben richt' ich meine Blicke,
Wo der Himmel noch ein wenig heller
Öffnet zwischen schwarzen Wipfeln sich;
Bald hernieder blick' ich auf den Boden,
Wo ein wenig doch der weiße Sand
Manchmal schimmert und den Weg mir anzeigt.
Wenn das, denk' ich, meine Kinder wüßten,
Daß ihr Vater noch um diese Stunde
Ganz allein streicht durch den dunkeln Wald!
Doch die ahnen nichts, in tiefem Schlummer
Liegen all sie und in holden Träumen.
Und ich seh' im Geist sie alle sieben
In den Betten und den Bettchen liegen.

32

Eingeschlossen hat in sein Gebet
Jedes mich der Sieben, eh' es einschlief;
Siebenfach gebetet ist für mich,
Und nicht sicher sollt' ich durch den Wald gehn
In der Einsamkeit und in der Nacht?
Fröhlich wird das Herz mir, wenn ich denke
An die sieben Schläfer in der Ferne.
Über mir und ihnen stehn die Sterne.

Vom Abnehmen der Früchte

Wenn einer dir einen Korb mit Kirschen, Äpfeln oder sonstigen Früchten zum Geschenk bringt, so wirst du ihm wohl nicht den Korb aus den Händen ziehen oder schlagen, ihm vielleicht gar dazu noch einen seiner beiden Arme aus dem Leibe reißen; sondern du wirst ihm behutsam, was er dir bringt, abnehmen und dich bedanken.

Der Baum, der dir Früchte trägt, ist doch wohl wert, gleichermaßen behandelt zu werden. Darum sieh ihn nicht als einen Feind an, der zu plündern und zu berauben ist, sondern er sei dir ein guter Freund, dem du säuberlich und freundlich die Last abnimmst, die er auf seinen Zweigen trägt. Keinen schmählicheren Anblick gibt's als einen armen Strauch oder Baum, von dem rohe Hände, vielleicht um noch unreifer Früchte willen, die Zweige heruntergerissen und abgebrochen haben.

Geh freundschaftlich mit dem Baume um! Es gräme dich nicht, sitzen zu lassen, was du nicht erreichen kannst. Verloren geht es doch nicht; ein Vogel oder ein Eichhorn oder sonst ein armer und scheuer Gast wird es sich vor dem Winter schon holen. Und wenn du eine Leiter ansetzest, so sieh zu, daß sie wohl gestützt sei. Kämet ihr beide, die Leiter und du, plötzlich von oben herunter, so würdet ihr große Verheerungen unter den unten stehenden Gewächsen anrichten, und auch wohl selber zu Schaden kommen.

Unter einem Schirm

Unter einem Schirm zu zwein
Geht sich's wohlgemut,
Doch verträglich muß man sein
Und einander gut.

Mag es dann auch noch so sehr
Regnen oder schnein,
Ruhig wandelt man einher
Unterm Schirm zu zwein.

Auf dem Eigen

Was wohl ist — man soll's mir zeigen —
Besser noch als dies zu sehn:
Mann und Frau auf ihrem Eigen,
Wenn sie durch den Garten gehn!
Was ihr Fleiß im Frühling säte,
Wuchs empor und blüht' heran,
Und nun schaun sie ihre Beete
Fröhlich und zufrieden an.

Auf dem saubern Gartensteige
Gehn sie ruhig hin und her,
Über sie die grünen Zweige
Neigt ein Baum von Früchten schwer.
Und ich seh sie freundlich nicken,
Fühl' es mit, wie sie's erfreut,
Wenn am Strauch sich ihren Blicken
Noch ein letztes Röslein beut.

Fast betracht' ich sie mit Neide
Und nicht satt kann ich mich schaun.
Welchen Schutz in Leid und Freude
Doch gewährt ein schwacher Zaun!
Wollte Gott, mir würd' hienieden
Ein bescheidnes Glück wie dies!
Eignes Heim mit seinem Frieden
Ist ein Rest vom Paradies.

3*

Verteidigung der Kröte

Es ist ein Trost für mich, daß es häufig des Guten Los ist, verkannt und verleumdet zu werden; aber ich wünschte doch, daß ich diesen Trost nicht nötig hätte. Welchen Grund könnt ihr Menschen haben, mich zu hassen und zu verfolgen? Daß ich nicht sehr anmutig von Gestalt bin? Ei nun, wir haben uns nicht selbst geschaffen! Unter den Blumen ist auch nicht alles Rosen und Geranium. Betrachtet euch selbst gefälligst im Spiegel! Ihr seht auch nicht alle so aus, daß jeder von euch über seine Photographie besonders glücklich sein könnte. Überdies ist der Geschmack verschieden. Es gibt unter uns genug, die von ihren Schätzen sehr lieblich gefunden werden. „Goldnes Krötchen, süßes Krötchen, Stern und Blume der Kröten" — das sind Ausdrücke, die bei uns von Liebesleuten häufig und nicht mit Unrecht gebraucht werden.

Was soll ferner das alberne Gerede von meiner Giftigkeit? Die ihr so sehr mit eurer Vernunft und Einsicht prahlt, ihr solltet doch endlich dahintergekommen sein, daß ich weder Gift führe noch überhaupt imstande bin, zu verwunden. Aber was helfen mir und meinen wenigen Freunden unter euch alle Beteuerungen! Kaum lasse ich mich sehen, so heißt es: „Hu, hu! 'ne Kröte! Nimm dich in acht! Sie beißt, sie sticht durch die Stiefeln! Sie ist fürchterlich giftig!" — Dann sagt unsereins: „Ich geb' ja schon! ich geb' ja schon! Laßt mich doch nur am Leben!" Aber das schnelle Weglaufen ist nicht unsere starke Seite; ehe man sich's versieht, hat man mit Stöcken und Steinen sein Teil bekommen, oder man wird mit der Feuerzange gepackt und über den Zaun geworfen, daß einem Hören und Sehen vergeht und man für sein ganzes Leben einen Schaden davonträgt.

Solches erdulden wir armen Kröten, obgleich wir euch als die sorgsamsten Gärtnerinnen dienen, indem wir von euren Gemüsen und Salaten das Gewürm herunterschmausen. Was, glaubt ihr wohl, würden die kleinen Schnecken täglich von eurem Kohl verzehren, wenn ich nicht die Schnecken vertilgte! Etwa so viel, daß eurer drei oder vier davon eine Mahlzeit hätten, und es würde noch ein Schüsselchen voll für einen gerade vorbeikommenden Handwerksburschen übrig bleiben. — Was kann ich manchmal in Schnecken leisten! Die ersten paar Dutzend eß' ich nur für den Hunger. Erst wenn ich beim dritten oder vierten Dutzend bin, sag' ich: Jetzt komm' ich in den Geschmack! Die Schneckchen sind feist und munden nicht übel. Will doch sehn, ob ich's nicht bis auf hundert bringe.

Ich habe nun wohl genug gesprochen. Es macht mir wahrlich kein Vergnügen, mich selber zu rühmen; aber ich werde auch gar zu schlecht behandelt! Eure Vorfahren hielten mich für ein verzaubertes Prinzeßchen. Wie es sich auch in der Tat damit verhalte, dieser Glaube bewirkte wenigstens, daß man freundlich und liebevoll mit mir umging. Nun, ich glaube, daß die Erde sich dreht und daß auch wieder bessere Zeiten für uns Kröten kommen werden. Nehmt euch meine Worte zu Herzen! Der Himmel erhalte uns die Geduld und euch gebe er Einsicht.

Efeublüte

Der Efeu ist durch Klettern
Bekannt und durch sein Grün;
Man spricht von Efeublättern,
Doch nicht von seinem Blühn.

Die Dolden sind, die grünen,
Den meisten kaum bekannt,
Er blüht nur für die Bienen
Im Baum und an der Wand.

Die grüßen ihn mit Freude,
Weil er zu blühn beginnt
Im Herbst, wenn auf der Heide
Dahin die Blumen sind.

Und wenn die Blätter fallen,
Schon rauh der Herbstwind weht,
Wenn es zu End mit allen
Lieblichen Blumen geht:

Dann sag' ich im Gemüte
Mir auch zum Troste dies:
Es kommt noch Efeublüte,
Die ist besonders süß.

Die Tanzstunde

Um die Zeit, da man in der Welt der erwachsenen Jugend auf öffentlichen und Hausbällen wacker das Tanzbein schwingt, wird ein erwachsendes Geschlecht an zahlreichen Stellen für diese Vergnügungen vorbereitet. An einem schönen Tage im Spätherbst hört der Hausvater von der liebenden Gattin die Worte: „Jetzt ist es wohl an der Zeit, daß wir bei uns mit Tanzstunden anfangen." — Das kann der Hausherr sich zuerst gar nicht denken, nachdem er sich aber ein Weilchen besonnen und flüchtig auf seine Kinderzeit zurückgeblickt hat, sagt er: „Ja, es ist richtig. Wie doch die Zeit vergeht!" und überläßt es, bequem wie er ist, der Gattin, die nötigen Anordnungen zu treffen.

Es gibt beklagenswerte Häuser in Berlin, in denen nicht getanzt werden kann, weil auch bei dem sanftesten Lämmerhüpfen schon die Mauern das Zittern bekommen, die Bilder von den Wänden herunterrasseln, die Öfen umfallen und alles, was an zerbrechlichem Gut auf Simsen oder sonst irgendwo steht, lebhaft mittanzt. Ist aber das Haus tanzfest und fällt in dasselbe der Reihenfolge nach die Tanzstunde, so sind selbstverständlich einige Vorbereitungen notwendig. Wenigstens muß die Berliner Stube „klar zum Gefecht" gemacht werden. Pünktlich melden sich Tänzer und Tänzerinnen, ebenso pünktlich der Tanzlehrer und der Klavierspieler. Diese beiden erscheinen als Männer so angenehmen Wesens, daß man es bedauert, sich

nicht eingehend mit ihnen unterhalten zu können. Sie haben
es leider sehr eilig. Kaum sind sie erschienen, so sitzt auch
schon der eine am Klavier, hat auch der andere schon die kleine
Schar zum ersten Reigen geordnet. Einen Augenblick darauf
erschallen die Klänge der Polonaise und alle kleinen Füße sind
in Bewegung. Und ebenso, wie sie gekommen sind, verschwinden
auch die beiden Leiter des Ganzen wieder mit großer Ge-
schwindigkeit, sobald die Stunde, die sie an noch weitere
Verpflichtungen mahnt, geschlagen hat.

Für die kleinen Mädchen ist der Beginn der Tanzstunden
ein Ereignis von Bedeutung. Zum erstenmal tritt ihnen die
gleichalterige Männerwelt, die sie bisher unter dem Gesamt-
begriff „Die Jungens" zu fassen gewohnt waren, in Gestalt
von Herren entgegen. Wie fein treten sie auf in ihren Tanz-
schuhen! Alles Jungenhafte haben sie mit ihren Stiefeln, die
in langer Reihe draußen auf dem Flur stehen, zurückgelassen.
Man verbeugt sich voreinander wie in der großen Welt, man
redet einander mit „Sie" an, was einige der kleinen Mädchen
ausnehmend komisch finden, andere aber, die sich schon mehr
in der Gesellschaft bewegt haben, für selbstverständlich erklären.
Nur die Unterhaltung will nicht recht in Gang kommen, weder
bei dem Tanz noch in den Pausen, während welcher die kleinen
Damen in einer Reihe an der langen Wand des Berliner
Zimmers sitzen, die jungen Herren aber in der Gegend des
einzigen großen Fensters sich zusammenrotten. Woher auch den
Stoff zur Unterhaltung nehmen? Bei den meisten der Tänzerinnen stehen doch noch Puppenstube und -küche in Ansehen,
was aber gilt dergleichen den jungen Herren! Bei diesen dreht
sich das Hauptinteresse um die Schwierigkeiten des Cornelius
Nepos oder Julius Cäsar, oder um die heimtückischen Angewohn-
heiten der Verba auf mi — lauter Dinge, die in der Mädchen-

welt einfach für langweilig und albern angesehen werden. Erst
nachher, wenn man bei einer schokoladenbraunen oder schön
rosenroten Speise ruhig einander gegenübersitzt, kommt es zur
Gesprächentwicklung, zu der gewöhnlich das beiden Seiten ge-
meinsame Vergnügen des Eislaufes den ersten Anlaß gibt.
Danach wird manchmal sogar ein schüchterner Versuch gemacht,
die Unterhaltung auf literarisches Gebiet zu lenken. Aber zum
Glück gelingt das selten. Nach dem Schluß der offiziellen
Tanzstunde wird gewöhnlich noch ein freies Tänzchen gemacht,
wenn im Hause eine Klavicymbalschlägerin — und wo fehlte
diese wohl? — sich zum Aufspielen vorfindet. Die Kleinen
im Hause aber, die an solchen Abenden etwas länger aufbleiben
dürfen, sitzen auf Bänkchen in der Tür zum Vorderzimmer,
sehen mit großen Augen in das Gewühl der sich drehenden
Paare hinein und denken bei sich: Wie bunt ist doch das
Leben!

Gefrorene Fenster

Einst war der Winter doch von andrer Art,
Als jetzt er ist, streng trat er auf und hart;
Und wenn es schneite, schneit' es Berge Schnee,
Und wenn es fror, so tat es tüchtig weh.
Wie lange blieben doch die Fenster dicht
Gefroren einst! Dergleichen weiß ich nicht
Von spätrer Zeit, doch aus den Kindertagen
Von kalten Wintern kann ich etwas sagen.

Was war es für ein wunderbarer Flor,
Der an den Fensterscheiben schoß empor!
Akanthus ähnlich, Distelblattgebilde,
Wie schöner kaum es sproßt auf dem Gefilde,
Und Spitzenwerk dazu, wie kund'ge Hand
Es zarter nicht gewirkt hat in Brabant.
Der Winter ist — fast glaub' ich's — jetzt nicht mehr
So kunstreich, wie einstmals gewesen er.
Er kann nicht mehr so wunderbare Sachen
An Eisarbeit auf Fensterscheiben machen.

Ja, lange Zeit war man im Zimmer so
Wie eingesperrt, und dennoch blieb man froh.
Wollt man einmal hinaustun einen Blick,
Macht man am Ofen warm ein Pfennigstück,
Das ward dann an das Fenstereis gehalten;
Es pflegte gar so hurtig zu erkalten,

Daß man's erwärmen mußte öfters noch,
Bevor entstanden war ein rundes Loch.
Durch solch ein Guckloch blickte man hinaus:
Wie wunderseltsam sah es draußen aus!
Weiß alles, weiß! Dazu vielleicht zu sehen
Auf weißem Grunde ein paar schwarze Krähen.
Und während man noch durch das Guckloch sah,
Verschwand das Bild schon, das noch eben da,
Weil sich davor — wie rasch war er gewoben! —
Ein Schleier von Kristallen schon geschoben,
Schön anzuschauen und unsäglich fein. —
Wie war die Welt so enge und so klein!
Klein, aber hübsch! Was war's für ein Vergnügen,
Am kalten Morgen warm im Bett zu liegen,
Wenn Feuer angemacht im Ofen war!
Das bullerte darin so sonderbar,
So traulich doch. Am Tage fand sich dann
Genug zu tun: Man sah so lang sich an
Die Bilderbücher, bis daß sie zergingen
Und nur sehr lose noch zusammenhingen;
Man stellte auf die Tierchen, die vorhanden,
Bis sie nicht fest mehr auf den Beinen standen,
Weil Bein auf Bein — man wußte selbst nicht, wie —
Verloren ging. Sehr traurig war's für sie.
Mit Märchen, die man sich erzählen ließ,
Ging hin die Zeit — sehr lustig war auch dies.
So vor dem Winter nie ward einem bange,
Doch das ist wahr: hart war er und blieb lange.

Dann plötzlich — deutlich noch erinnr' ich mich —
Hieß es: „O seht, die Fenster rühren sich!

Es taut, es taut! Nun wohl, es ist ja Zeit,
Der Winter weicht, der Frühling ist nicht weit."
Und wenn es taute, taut' es gleich mit Macht;
Mitunter kam der Westwind in der Nacht,
So daß die Flut, die von den Fenstern floß,
Sich auf die Dielen unbemerkt ergoß,
Und morgens war das Zimmer überschwemmt
Von Strömen, die rechtzeitig nicht gehemmt.

Und wenn es einmal war so weit gekommen,
Schien auch dem Winter seine Macht genommen.
Dann sproßt' auch schon empor das junge Grün,
Und überall schon fing es an zu blühn:
Goldsternchen erst im zarten Grase blinkten,
Dann Anemonen, die weiß schimmernd winkten,
Kirschblütenschnee, in Flocken ausgestreut.
Auf einmal dann wie war die Welt so weit!

Leid, Freude und Not

Leid birgt im Hause sich und hält sich still,
Der muß es suchen, der es finden will.
Doch Freude eilt hinaus und redet laut,
Kaum daß sie anblickt, wem sie sich vertraut;
Wer ihr begegnet, jeder muß ihr taugen!
Not, eh' sie bittet, sieht erst nach den Augen.

Die Schule der Geduld

An ihres kranken Kindes Bettchen sitzt
Die Mutter singend, singt die ganze Nacht.
Mitunter schweigt sie still und hofft ein wenig,
Es möchte eingeschlafen sein das Kind;
Das aber weint alsbald, und wieder singt sie.
Mitunter mitten im Gesange nickt
Sie ein vor Müdigkeit, schnell aber ruft
Das Kind aufweinend sie zurück ins Wachen,
Und wieder singt sie leise wie vorher.
So sitzt sie da vom Abend, bis der Morgen
Mit trüben Augen in die Fenster blickt,
Und singt und singt die lange Nacht hindurch.
Wie leicht verliert doch die Geduld ein Mann!
Wie fühlte ich in mancher Nacht mich schuldig,
Daß ich nicht auch bin wie mein Weib geduldig.

Unter dem Schnee

Wie viel schläft unter dem Schnee!
Das Korn im Felde, so weich bedeckt,
Viel tausend Knospen, so tief versteckt,
Bis all die schlafenden Augen weckt
Der Lerche Lied aus der Höh.

Wie viel schläft unter dem Schnee,
Was neu erblühen wird zart und hold,
Wenn neu sein Banner der Lenz entrollt:
Des Veilchens Blau und der Primel Gold
Und Rosen in Fern und Näh.

Wie viel schläft unter dem Schnee,
Was hingebettet ist matt und müd,
Was nicht erwacht, wenn das Veilchen blüht
Und nicht wird hören der Lerche Lied,
Geborgen vor Leid und Weh. —
Wie viel schläft unter dem Schnee!

Kleinigkeiten

Es war in alter Zeit Sitte, den Namen der Geliebten nicht vor den Leuten zu nennen. Ein Dichter, befragt, wie seine Liebste heiße, antwortet: Sie heißt: „Die Wohlgetane".

Dieser Sitte folgen noch die meisten Menschen. Wenn einer viel und laut vor den Leuten von seiner Liebe zur Freiheit oder zur Pflicht oder zur Ehre oder zur Wissenschaft spricht, so kann man annehmen, es sei n i c h t seine Geliebte, von der er redet.

Ein Mann mit gutem Haarwuchs ging in einem langen Baumgang spazieren. Da trat ein Fremder auf ihn zu und sagte: „Gib mir ein Haar von deinem Kopfe! Du merkst es nicht, daß es dir fehlt, und mich macht dies eine Haar sehr glücklich." Der Spaziergänger dachte: Die Bitte ist sonderbar; aber ein Haar kann ich wohl entbehren, wenn es einen andern froh macht. Also ließ er sich ein Haar nehmen. Kaum war er ein paar Schritte gegangen, so trat wieder ein Mann auf ihn zu, der auch ein Haar haben wollte. Nun, ob ich ein Haar mehr oder weniger habe, darauf kommt es nicht an, dachte der Angeredete und ließ sich wieder ein Haar nehmen. Nun kamen noch sehr viele, einer nach dem andern, jeder wollte nur e i n Haar haben, und jedem erlaubte der gutmütige Mann, sich eines auszurupfen. Eines Haares Verlust, sagte er jedesmal zu sich, ist ja gar nicht zu merken. Als er am Ende des Baumganges angelangt war, begegnete ihm ein Bekannter, vor dem er den Hut abnahm. „Herr Gott!" rief der Bekannte, „du bist ja plötzlich ein Kahlkopf geworden!" Der Mann griff nach seinem Kopf und erbleichte. Er zog ein Spiegelchen hervor und sah hinein: richtig! er hatte kein einziges Haar mehr auf dem Kopfe.

Es ist eine vielgeübte Kunst, alte Schulden auf die Weise zu bezahlen, daß man neue macht. Wer aber recht schlau ist, der borgt sich bei einer solchen Gelegenheit gleich so viel, daß er noch etwas bares Geld zu unnötigen Ausgaben übrig behält. Wie man das macht, ist von Staatsmännern und Studenten zu erfahren.

Unrecht ist wie ein Unkraut, das immer wieder nachwächst, wo es vertilgt ist. Es säet sich leicht von selbst aus, der Wind bringt's aus der Ferne, es kommt über des Nachbars Zaun herüber und unter dem Zaun durch in den Garten. Recht ist wie ein Kraut, das leicht wieder ausgeht, wo man es pflanzte, und das mit großer Mühe aus Samen wieder aufgezogen werden muß, wo es vergangen ist. Darum muß das eine immerzu gejätet und das andere immerzu gepflegt werden.

In unserer knappen Zeit wird so viel über Abgaben geklagt, welche man zu leisten gezwungen ist. Mancher aber, wenn er darüber nachdenkt, wird finden, daß eigentlich die freiwilligen Abgaben, zu denen niemand ihn nötigt, es sind, die ihn in Armut bringen. Der eine pflegt allabendlich an einen Gastwirt, dem er zu nichts verpflichtet ist, eine bestimmte Biersteuer zu zahlen, ohne jemals darüber unwillig zu werden. Ein anderer hatte es sich in den Kopf gesetzt, an freiwilliger Weinsteuer nach und nach eine Summe aufzuwenden, die hinreiche, in angenehmer Gegend ein kleines Haus mit Blumen- und Obstgarten, Stallung und Remise anzukaufen. Betrachtet man endlich die Zeit als Geld und berechnet die Stunde mit 25 Pfennigen, so dürfte mancher jährlich eine nicht geringe Summe, die er als Zeitsteuer dem Schlaf oder der Langweile entrichtet hat, in sein Ausgabebuch einzutragen haben. So gibt es noch verschiedene freiwillige Ausgaben, an denen ein guter Hausvater ein Erhebliches sparen könnte. Freilich aber, sollen die Kleinen sich einschränken, so kann man wohl billig verlangen, daß die Großen mit gutem Beispiel vorangehn.

Aus der Stadt

4*

Den Frühling gefunden

Ich war ausgegangen, um den Frühling zu suchen, von dem ich durch die Zeitungen gehört hatte, daß er angekommen sei. Bald stieß ich auf Spuren seiner Anwesenheit. Die Wintersaat, die einem mit Tausenden von weißen Porzellanscherben bedeckten Acker schon einen zarten grünen Anflug verlieh, rechnete ich ihm zugute. Dann aber kam Weidengebüsch, das von silberweißen Kätzchen glänzte. Das war schon richtiger Frühling, ebenso wie die purpurbraunen Kätzchen der benachbarten Erlen, bei denen das Gold der Staubgefäße eben im Begriff war durchzubrechen. Es stand auch eine gekröpfte Weide am Grabenrand, und in ihrem gelben Zweigwerk saßen zwei entzückende Vögel, zwei Blaumeisen, die ich so lange mir ansah, bis die eine und dann die andere fortflog.

Ich wollte aber den Frühling nicht nur sehen, sondern auch hören. Denn eigentlich ist er noch eher zu hören als zu sehen und kommt auch für den Blinden. Ich horchte also wohl auf. Zunächst vernahm ich einen mir unbekannten Vogel, der anscheinend in großer Eile durch die Luft zog und dabei, wie ich wenigstens herausverstand, rief: „Ich komm' gleich wieder!" Dann drangen mir zu Ohren die kurzen Verse der Goldammern. Auf den einzelnen kümmerlichen Bäumen an den Grabenrändern saßen sie und sangen, herniederblickend auf die mit Scherben, Kohlstrünken, Blechschnitzeln und pensionierten Morgenschuhen übersäeten Felder: „O wie schön, wie wunderbar schön es hier doch ist!"

Ich erwartete aber etwas anderes noch und bekam auch
das zu hören. Durch die einzelnen Töne, die ich sonst vernahm, schimmerte eine lang aushaltende Melodie hindurch: der
Gesang der Lerche. O süßer Klang! Wer, der ihn zum erstenmal wieder im Jahr vernimmt, schauert nicht zusammen bis
ins innerste Herz! Es liegt alles darin, was nachkommt. Das
kommt freilich, wenn man alt wird, anders wie einst, aber es
bleibt doch etwas darin von unsäglicher Freudigkeit. Bis jetzt
ist der Gesang der Lerche nur ein leises und schüchternes An-
singen gegen die immer noch in der großen Stadt tobenden
zahllosen Konzerte, und ich kann mir wohl denken, daß welt-
kluge und gewissenhafte Leute sagen: „Was kann ein so kleiner
und unscheinbarer Vogel wohl ausrichten gegen so mächtige
und angesehene Instrumente."

Und doch singt er sie still.

Das zerstörte Schwalbennest

Wenn sie wenigstens sogleich, als die Schwalben zu
bauen anfingen, erklärt hätten, daß sie ein Schwalbennest nicht
haben wollten, und hätten sie am Bauen verhindert! Aber sie
warteten, bis die Jungen da waren, und stießen dann das Nest
herunter. In kurzer Zeit mußte die erste Brut flügge werden,
und solange hätten sie den Logierbesuch, der sie nichts kostete,
sondern selbst für sich sorgte, wohl ertragen können. Aber sie
stießen das Nest herunter mit den hilflosen Jungen. Welch
eine Freude war im Hause, als im Frühling plötzlich ein
Schwalbengesang vor dem Fenster erscholl und als es bekannt
wurde, daß sie bauten. Mit Recht freute sich darüber groß
und klein. Denn die Schwalbe ist ein Edelvogel, ein reizendes

Geschöpf, hübsch von Aussehen und artig von Wesen. Mit
ihr vergleicht unser großer Dichter ein zierliches Mädchen:

> „Die Blonde, die Falbe,
> Sie fitticht so zierlich wie die Schwalbe
> Die ihr Nest baut.“

Ja, sehr hübsch ist sie mit ihrem sauberen, metallisch glän-
zenden Gefieder und überaus zierlich, geschickt, munter und klug.
Wenn sie in der Nähe ihres Nestes auf einer Laterne, einem
Geländer oder einer Dachrinne umheräugelnd sitzt, das Köpfchen drehend und sich putzend: das ist ein Anblick, dessen sich
zu erfreuen man nicht leicht müde wird. Dazu ist die Schwalbe
ein Vogel, mit dem ein freundschaftliches Verhältnis zu gewinnen ist. Das ist nie möglich bei dem Sperling. Tu ihm
noch so viel Gutes, er traut dir doch nie. Er betrachtet dich
immer als seinen Feind und scheint immer ein böses Gewissen
zu haben. Aber die Schwalbe hat zum Menschen Vertrauen,
und das macht sie so liebenswürdig. Von wie großem
Werte ist für die Hausbewohner und ganz besonders für die
Kinder des Hauses, die in einer großen Stadt geboren sind,
das Schwalbennest! Es bringt sie in Berührung mit der Natur
und lehrt sie, Freude an dieser zu haben. Die Ankunft
der Schwalben, das Bauen des Nestes, das Erscheinen der
Jungen, das ganze Treiben dieser Vögel — wieviel unschul-
diges Vergnügen kann es den Beobachtenden gewähren, und
wie leicht und bequem ist es zu beobachten! Wer in der Morgen-
dämmerung aufwacht und hört die Weise erklingen, mit der
die Schwalben den jungen Tag begrüßen, der muß schon ein
harter Mensch sein, wenn er dadurch nicht erfreut und gerührt
wird. Doppelt anziehend macht es die Schwalbe, daß sie
ein Zugvogel ist, der den größeren Teil des Jahres in fremden,

geheimnisreichen Ländern zubringt. Man sollte denken, daß in einer großen Stadt, schon im Hinblick auf die Kinder, jedem daran gelegen sein müßte, ein solches Stückchen lebendiger Naturgeschichte zu erhalten. Es mag aber sein, daß Leute, die in ihrer eigenen Jugend keine Schwalben bauen gesehen haben, dafür kein Verständnis besitzen und auch nichts davon wissen und empfinden, wie das Volk über die Schwalbe denkt. Sie wissen es ohne Zweifel nicht, daß die Schwalbe ein heiliger Vogel ist, daß sie verletzen oder vertreiben Unglück über das Haus bringt, in das sie als Gast gekommen ist, vertrauend auf die Unverletzlichkeit des Gastrechts. Nicht allen leider scheint es bekannt zu sein, daß die Schwalbe Glück bringt in das Haus, in dem sie ihre Wohnung aufschlägt; aber wahr ist es. Und sind in dem Hause, in das sie zum erstenmal kommt, heiratsfähige Töchter, so bringt sie noch ein ganz besonderes Glück mit sich: man kann mit Sicherheit darauf rechnen, daß wenigstens eines der Mädchen noch im Laufe desselben Jahres Braut wird. Mir selbst sind mehrere Fälle bekannt, in denen das richtig eintraf.

Gern hätte ich das Nest, von dem ich zuerst gesprochen habe, beschützt und erhalten. Aber es war in einem fremden Hause, in dem ich nichts zu sagen hatte. Es ist aber nicht das einzige Schwalbennest, dem es so ergangen ist, sondern viele Schwalben erleiden alljährlich dasselbe Schicksal. Und merkwürdig ist es, daß sie in verderblicher Hartnäckigkeit immer wieder zu dem Ort, von dem sie vertrieben wurden, zurückkehren und aufs neue anfangen zu bauen. Zu anderen aber, die sie mit Freuden bei sich aufnehmen würden, kommen sie nicht. Und was hülfe es, an geeigneten Stellen anzuschlagen: „Hier können Schwalben bauen!" Ich fürchte sehr, sie verstehen es nicht.

Zwei Gräber

Auf einem Friedhof liegen, nah einander,
Der Gräber zwei, die sehr verschieden sind.
Das eine hat zu Häupten einen Stein,
Der eine Inschrift zeigt in goldnen Lettern,
Und stets mit Blumen ist es schön geschmückt,
Die, wenn sie welken, andre bald ersetzen,
Von eines Gärtners kund'ger Hand gepflanzt.
Das andre Grab ziert weder Kreuz noch Stein,
Und keine Blumen trägt es, als die wilden,
Die sich von selber säten in das Gras
Und, wenn der Lenz kommt, sich bescheiden schmücken.
Ein jeder von den beiden Hügeln wölbt
Sich über einem Toten, dem darunter
Ein Bett bereitet ward zu langem Schlaf.
Der eine von den beiden ist vergessen,
So treu auch Lieb' sein Grab zu schmücken scheint.
Den du vergessen meinst, der wird beweint.

Vom Blumenpflücken

Wie viele Berliner Kinder jetzt wohl draußen in der Sommerfrische mit dem Pflücken von Feldblumen beschäftigt sind! Ich sehe sie vor mir, wie sie mit Gier über die ersten wilden Blumen herfallen. Der herrlichste Garten voll der kostbarsten Gewächse, der nur zum Ansehen ist, kann ihnen die Freude nicht machen wie ein Feld mit Kornblumen und Raden, die sie sich pflücken dürfen. Und außer diesen, wie viel blüht jetzt sonst noch draußen! Zwar die Wiesenblumen, mit Ausnahme derer, die auf hohen Bergwiesen stehen, sind schon unter der Sense gefallen, für die Feldblumen aber, die im Felde selbst wachsen und an Ackerrändern und Gräben, für die ist es jetzt die richtige Blütezeit. Verschiedene Doldengewächse erheben ihre weißen Blütenteller= und schüsselchen; auffallend unter ihnen ist besonders die Dolde der wilden Mohrrübe, in deren Mitte, von weißen Blütchen umgeben, fast stets ein schwarzes sich befindet. An allen Wegrändern sieht man die duftigen Rispen des weißen und gelben Labkrautes. Zwischen zierlichen Gräsern schwanken kleine und große Glockenblumen, blau von Farbe gewöhnlich, manchmal aber ist auch eine weiße darunter. Die Blütenköpfe der Hundskamille, welche die eigentliche Margaretenblume ist, wie hübsch nehmen sie sich aus zwischen anderem Blumenwerk! Wie nett ist die weiße oder rosenfarbene Blüte der gemeinen Ackerwinde, die wegen ihrer Gestalt auch Schiffermützchen, und Mandelblümchen wegen des süßen Duftes genannt wird. Es ist eine Tagblume, die am Nachmittag sich schließt; ihre nächste Verwandte aber, die große Heckenwinde, ist eine Abendblume wie das Jelängerjelieber. Und nun all die buntfarbigen Wicken, die auf dem Rain erblühen oder zwischen den Halmen in die Höhe klettern! Am Graben wimmelt es von weißen und blauen Sternchen, und aus dem Wasser erhebt die Blumenbinse auf schlankem Stiel ihre anmutige Dolde. Alles das und mehr noch, mit einigem Geschick zusammengebunden, gibt die reizendsten Sträuße. Ich sehe unsere Berliner Kinder, wie sie nach Hause gesprungen kommen, große Feldblumensträuße in den Händen. Dadurch bereiten sie ihren Angehörigen manchmal kleine Verlegenheiten, denn es soll alles ins Wasser gestellt werden, Gläser aber sind in den Sommerwohnungen meistens ziemlich knapp.

Die Liebe zu Blumen scheint allen Kindern angeboren und etwas ihnen Natürliches zu sein. Solange sie noch klein sind, haben sie alle die Blumen gern, erst die Schule macht sie gleichgiltig gegen dieselben. Das klingt hart, aber es ist so. Neben dem Blumenpflücken ist das Beerenpflücken ein ungewöhnliches und großes Vergnügen, das die Sommerfrische den Kindern der Großstadt gewährt. Ja, es geht wohl noch über das Blumenpflücken. Es hat noch mehr mit der Jagd gemein, indem es zu einer Beute verhilft, die zu essen ist und sehr gut schmeckt. Ich weiß es aus meiner Kindheit nicht anders, als daß man um diese Jahreszeit täglich mit einem Töpfchen in den Wald hinausging, um Beeren zu sammeln. Arme Berliner Kinder, die ihr im Sommer nicht hinauskommt! Wenn auch eure Eltern euch Waldbeeren kaufen — wozu in Berlin schon eine gewisse Wohlhabenheit gehört — so frisch sind sie doch nie, so gut können sie doch nie schmecken wie die selbstgepflückten.

Auf dem Wochenmarkt

Ich sehe ein, daß die Markthallen sehr nützlich sind, aber
weit besser gefallen mir doch die Wochenmärkte unter freiem
Himmel. Was für ein buntes, lustiges Bild geben sie, besonders im Sonnenschein. Und die frische Luft, die man draußen
atmet! Ich bedauere die armen Leute, die den Tag über in
den Markthallen sitzen müssen, und bedauere die armen Blumen,
die dort mit Heringen und Käse zusammen eingesperrt sind.

So suche ich denn mit Vorliebe die wenigen Wochenmärkte auf, die noch in Berlin und in den Vorstädten zu finden
sind. Man betrachtet sich, was die Jahreszeit bringt an guten
Dingen, man sieht sich das Volk an, das auf dem Markt
verkehrt.

Da kommt eine junge Frau, die zum erstenmal für den
eigenen Herd einkauft. Ihr Gesicht strahlt vor Freude, obgleich
sie sich Mühe gibt, ernsthaft auszusehen. Es ist ja doch eine
ernsthafte und wichtige Sache. Als Mädchen schon hat sie sich
vorgenommen, selbst auf den Markt zu gehen, wenn sie einmal
heiraten sollte. Das ist besser auf jeden Fall. Die Hausfrau
sieht sich dann doch alles schärfer an und wird nicht so leicht
hintergangen. Nun ist der große Augenblick da, und sie
kommt zum erstenmal auf den Markt, um einzukaufen. Hinter
ihr geht die Köchin, sauber wie aus dem Ei geschält, und auch
sehr vergnüglich dreinschauend. Noch ist es zu keinen Meinungs-
verschiedenheiten zwischen ihr und ihrer jungen Herrschaft gekommen. Wie schön ist diese kurze Zeit, da alles im Hause
noch neu und gut ist, wie die kurze Zeit im Frühjahr, da noch
kein Staubkörnchen auf den Blättern liegt.

Wie nett und liebenswürdig sind die Marktweiber! Mit
welchen schmeichelhaften Worten laden sie die junge Hausfrau

zum Kaufen ein! „Nur immer heran, schöne, junge Frau!"
heißt es und: „Was suchen Sie denn, mein Kindchen?" und:
„Nur näher, mein Lämmchen, hier ist alles, was Sie brauchen."
Nun tritt sie an einen Stand, prüft die Ware, fragt nach
dem Preise und — ja, sie versucht es wirklich, zu handeln.
Gehandelt muß ja werden, das versteht sich, denn die Markt-
frauen schlagen immer vor. So macht sie denn einen schüch-
ternen Versuch, einen billigeren Preis zu bedingen, aber die
Veränderung, die in diesem Augenblick in dem Gesicht der
Marktfrau vor sich geht, bewegt sie, sofort davon abzustehen.
Am Ende ist der Preis nicht zu hoch für die gute Ware, und
man soll auch die armen Leute nicht zu sehr drücken. So
kauft sie noch hier und da etwas ein und geht dann mit ihrem
schmucken Dienstmädchen vergnügt und zufrieden nach Hause.
    Zu Hause muß sie natürlich den Einkauf ihrem Manne
zeigen, der am Schreibtisch sitzt. Was wird er für Augen
machen, wie wird er sich freuen über seine wirtschaftliche junge
Frau! Er freut sich auch entschieden über sie. Er lobt das
Gemüse, bittet sich ein Radieschen aus und erkundigt sich mit
scheinbar außerordentlichem Interesse nach dem Preise der Eier
und der Butter. Um sich unterrichtet zu zeigen, findet er die
Butter wider Erwarten billig, die Eier ungewöhnlich hoch im
Preise. Darüber bricht die junge Frau in helles Lachen aus,
denn zurzeit verhält es sich gerade umgekehrt damit. Er freut
sich über ihr Lachen, am meisten aber freut er sich über
den kleinen Blumenstrauß, den sie für ihn eingehandelt hat.
Den läßt er sich in einem Wasserglase auf den Schreibtisch
stellen, und nun geht das Arbeiten noch einmal so gut von-
statten.

Abschied vom Walde

Ich sah wirklich von meinem Hause aus ein Stück Wald, richtigen, natürlichen Wald, keinen scheinbaren oder künstlichen, wie ich denn auch im Frühjahr mitunter einen wirklichen Kuckuck rufen hörte. Dieser hatte seinen Verkehr im Tiergarten, den ich nicht von meiner Wohnung aus sehen konnte, mein Wald aber war ein Teil des Grunewalds. Von dem Balkon meiner Wohnung, der nach hinten hinausgeht, konnte ich über Felder und Wiesen hinüberblicken nach fernen graugrünen Höhen: das war der Wald. Nach ihm ab und zu die Blicke zu richten, galt mir als Erholung und Erfrischung. Ich fühlte mich im Geist nach dem Walde hinübergetragen, wenn ich ihn von fern sah. Es ist ja nur ein Wald von bescheidenem Reiz, aber zu verachten ist er darum doch nicht. Er hat seine stattlichen Kiefern, und zwischen diesen steht manch alter Eichenstamm. Vögel bewohnen ihn, wenn auch nicht in großer Zahl, und zierliches Wild durchstreift ihn. Sein Grund ist gestickt — stellenweise freilich sehr sparsam — mit bunten Blumen. Er hat Wasser, von flüsterndem Schilf umsäumt, und durch seine Wipfel geht frischer Windhauch.

Ja, es machte mir großes Vergnügen, nach dem Wald hinüberzusehen, am Morgen zumal, wenn ich mir vorstellte, wie herrlich es da sein müßte unter den Bäumen. Dieser Aussicht wegen schätzte ich meine Wohnung sehr hoch und wiederholte mir immer — denn ganz sicher fühlte ich mich nicht — daß der Wirt, als ich mietete, mir versichert hatte, es werde noch lange Jahre dauern, ehe da hinten gebaut werde.

Es dauerte ein Jahr, da erschienen auf dem Felde unten, wo bis dahin kümmerlicher Roggen gebaut worden war, Arbeiter und fingen an, den Boden auszuschachten. Zugleich fanden sich Wagen mit Steinen ein, und Rüststangen wurden herbeigeschafft. Es wurde gebaut. Ich will es gestehen; daß sich meiner den unschuldigen Arbeitern gegenüber eine gewisse Feindseligkeit bemächtigte. Als einmal die Arbeit ein paar Tage ruhte, nahm ich an, es sei ein Ausstand ausgebrochen oder dem Baumeister das Geld ausgegangen, und freute mich darüber. Welche kleinliche und zugleich vergebliche Freude!

Es war ein warmes Frühjahr, und mit furchtbarer Schnelligkeit schoß der Bau empor. Mit der dritten Balkenlage verschwand mein Wald. Aber das Gebäude wuchs noch viel mehr in die Höhe, und außer dem Grunewald wurde mir, ehe das Laub fiel, auch noch ein großer Teil des Himmels, der mir bis dahin sichtbar gewesen, geraubt, und zwar gerade derjenige, auf dem meine besten Sternbilder standen.

So verlor ich in einem Sommer ein mir liebes Stück des Himmels sowohl als der Erde. Wie soll ich sie wiederbekommen? Meine Freunde, die Mitgefühl für meinen Schmerz haben, sagen zu mir: „Weiter fort nach Westen!" Aber wenn man sich eben erst mit Kind und Kegel, Büchern, Bildern und Betten, Kesseln und Pfannen und anderem Hausrat häuslich niedergelassen hat — dann sogleich wieder aufzubrechen, ist das nicht hart?

Anatomie eines Blumenstraußes

Vor einigen Tagen brachte ein Freund mir als Geschenk einen großen, runden Strauß, der in einer hiesigen angesehenen Blumenhandlung gebunden war. Nachdem ich ihn in einen Krug gestellt hatte, sah mein Freund ihn sich genau an. Da fiel auf sein ehrliches Gesicht ein dunkler Schatten, und im Tone des tiefsten Kummers sagte er: „Doch mit Draht! Und ich hatte abgemacht, daß keiner dazu genommen werden sollte." — Ja, er hatte recht; wenn man in das Innere des Buketts hineinblickte, sah man dasselbe erfüllt von blinkendem metallischem Stengelwerk. Diesen Unfug hatte mein guter Freund verhüten wollen, denn er weiß, daß der Draht und ich Feinde sind; aber sein Bemühen war vergebens gewesen.

Es stand aber auf meinem Tisch noch ein anderer Strauß, der natürliche Stengel hatte, im Wasser. Als wir nach einer Stunde herantraten, war er noch ebenso frisch, wie er gewesen, die Blumen des Drahtstraußes aber waren alle schon welk geworden, wie auch das Grün. Sie waren verschmachtet, wie es nicht anders sein konnte. Denn sie standen im Wasser auf Drahtgestellen und konnten ebensowenig nasse Füße bekommen wie ein Invalide, der mit zwei hölzernen Beinen durch einen Bach geht.

Ich will sogleich bemerken, daß man das Welken der auf Draht gespießten Blumen ein wenig hinhalten kann, wenn man sie fleißig mit Wasser besprengt. Einige, alle nicht, lassen sich auf diese Weise eine kurze Zeit lang anscheinend noch lebendig erhalten. Es ist doch nur ein trauriger Notbehelf.

Am andern Morgen ging ich daran, das Drahtbukett in seine einzelnen Teile zu zerlegen. Es war keine angenehme Arbeit, weil der Draht durch die Nässe bereits rostig geworden war, ich unterzog mich aber dieser Mühe aus wissenschaftlichem Interesse. Was ich fand, war folgendes:

Das Ganze war angelegt um einen Stock herum. An diesen festgebunden waren zahlreiche kleine Sträuße, die zusammen den großen bildeten, jeder der kleinen aber bestand aus etwas Grün, meist Farnkraut oder Laub der Blutberberiße oder

Resedakraut, und aus einer Blume, bei kleineren Arten auch aus einigen. Grün und Blume waren bei diesen kleinen Sträußen zusammen an einem starken Draht befestigt. Es waren aber nicht nur Blumen und Blätter von derberer Art verwandt, sondern auch solche, die bei Mangel an Feuchtigkeit sich als außerordentlich hinfällig erweisen, wie das Heliotrop und das zarte Farnkraut Adiantum.

Der Strauß enthielt vierundzwanzig Rosen, rote, gelbe und weiße. Diese waren in doppelter Weise angedrahtet: erstens waren sie mit den Stengeln an starkem Draht befestigt, zweitens waren die Kronblätter mit sehr feinem Draht zusammen= und an den Kelch festgenäht. Diese Maßregel erwies sich bei genauerer Betrachtung als eine durchaus notwendige, denn die so behandelten Rosen waren teils schon halbverblühte, die dem Abfallen sehr nahe waren, teils noch unerschlossene, noch zusammengefaltete, aber schon faule Knospen, die auch schon vom Kelch sich loslösten, wie es geschieht, wenn infolge ungünstiger Witterung oder einer Erkrankung des Stockes die Basis der Kronblätter von Fäulnis ergriffen wird. Nun, für den Verkäufer ist es ja sehr vorteilhaft, solches Material noch verwenden zu können, den Käufer aber macht es verstimmt, wenn er in dem mit teurem Gelde bezahlten Strauß dergleichen Ausschußware vorfinden muß.

Zugleich waren durch die erwähnte Art der Befestigung die Rosen noch in anderer Weise verunstaltet worden, indem überall, wo der Draht hindurchging, auf den Blättern sich schwarze Flecke gebildet hatten, wohl durch eine Verbindung des Eisens mit der in dem Pflanzensaft vorhandenen Säure; wie denn ja auch Gemüse, die man in einem nicht emaillierten eisernen Topfe kocht, mißfarbig werden. Von den vierundzwanzig Rosen des Straußes waren nur vier nicht mit Draht zusammengenäht; an Draht angestengelt waren alle.

Es waren in dem Strauß auch ein paar Gardeniablüten. Das sind die schönen weißen Blumen, die ihres köstlichen Jasminduftes wegen mit Recht so sehr beliebt sind. Ich fand aber nichts weiter vor als die Blüte ohne Stengel und Blatt, mit Draht an kleinen Zweigen von Weißdorn und Beberitzen befestigt. Dabei waren sie so zugerichtet worden, daß sie, vom Draht losgelöst, in einzelne Stücke zerfielen. Als ich den Strauß zergliedert hatte, bestand dasjenige, was noch des Aufhebens wert, d. h. mit einiger Aussicht auf Erhaltung ins Wasser zu stellen war, abgesehen von einigen Resedastauden, in wenigen Exemplaren zweier wilder Blumen, wie sie jetzt viel zur Binderei verwandt werden, des großen blauen Enzians unserer Moorwiesen und der weißen Wasserrose. Von den Wasserrosen aber behielt ich nur eine, denn bei den anderen waren, wie ich nun erst bemerkte, die äußeren Blumenblätter, die wohl schon an Ansehen etwas verloren hatten, mit der Schere entfernt worden. Im Strauß waren die Blumen so geschickt angebracht gewesen, daß diese Verstümmelung bei oberflächlichem Betrachten wohl dem Blick entgehen konnte.

„Es geht nicht anders," höre ich sagen, „ohne Draht ist eine Ausnutzung des Materials, wie sie heutzutage notwendig ist, nicht möglich. Nur mit Hilfe des Drahtes können wir für die Binderei schöne Blumen benutzen, die sonst — es müßten denn enorme Preise bezahlt werden — unverwendbar sind, z. B. die Gardenien und im großen und ganzen auch die Rosen. Wie häufig sitzen an einem Zweige, der eine sich erschließende oder schon erschlossene Rose trägt, noch mehrere erst wenig entwickelte Knospen, die in diesem Zustande einen sehr geringen Geldwert besitzen. Soll man sie mit abschneiden und sich dadurch um eine künftige Einnahme bringen? Ähnlich verhält es sich mit andern Pflanzen. Und dann unser Publikum!

Es will etwas Prächtiges haben bei mäßigem Preise. Wenn der Strauß sich nur gut macht in dem Augenblick, in dem er überreicht wird — wie er eine Stunde später aussieht, wen kümmert das?"

Alles das ist ganz richtig, gewinnt mich aber nicht für den Draht. Noch ehe er aufkam, wurden doch auch schon Blumensträuße gebunden, und die Menschen waren damit zufrieden. Doch was rede ich von alter Zeit, ich bekomme auch jetzt noch Blumensträuße ohne Draht gebunden. Ja, ich bekomme sie wirklich.

Als der alte Lübke aus der Mathieuschen Gärtnerei, ein großer Drahtfeind, seine armen alten Augen zugemacht hatte, war ich in großer Sorge, wo ich fortan Kränze und Buketts ohne Draht hernehmen solle. Denn ganz ohne eigenen Landbesitz, wie ich bin, war ich in bezug auf Gartenblumen, die doch für jeden seßhaften und ordentlichen Menschen einen Hauptbedarfsartikel bilden, auf fremde Leute angewiesen. Nachdem mir mancher Versuch fehlgeschlagen war, fand ich hier endlich einen Gärtner, der mir auch sonst gefiel; der ging mit mir den Vertrag ein, mir Bindereien aller Art zu liefern, so gut sie zu bedungenem Preise zu machen seien, ohne allen Draht. Wenn ich in seiner Ware ein Zentimeter Draht fände, müßte er sie zurücknehmen. Das ist schon eine Reihe von Jahren her, und nur einmal, in der ersten Zeit, habe ich ihm sieben Buketts, in denen Draht war, zurückgeschickt. Seitdem hatte ich gar nicht wieder nötig, ihn an unsern Vertrag zu erinnern. Er weiß, was ich haben will, und verfährt danach — und wieviel Freude haben seitdem seine „Natur"-Sträuße und Kränze mir und andern gemacht! Die meisten fühlen doch heraus, daß es etwas anderes ist als das gewöhnlich Gebotene.

Ich werde mich nie davon überzeugen lassen, daß der

5*

Draht notwendig ist. Müssen Bufetts ohne Draht kleiner angefertigt werden als die auf Metall gezogenen: nun, was ist
an dem riesigen Umfange gelegen? Fallen sie, ohne Eisen hergestellt, weniger glänzend aus: was liegt an der am Ende
doch nur scheinbaren Pracht? Eine scheinbare Pracht ist es
doch nur, was geschickt an den eisernen Spitzen befestigt ist.
Warte ein Weilchen, und statt des entzückenden Blumenstraußes
hast du in den Händen ein Stachelschwein von Draht. Lieber
Gott! alles Blumengut ist ja hinfällig — so hinfällig wie der
Reiz menschlicher Gestalten oder menschliches Glück — aber
das kann man denn doch verlangen, daß ein Strauß nicht
gleich in der Hand einem abwelkt, daß er wenigstens, ins
Wasser gestellt, noch über den ersten Tag hinaus frisch bleibt.

Es soll nach etwas aussehen, ohne etwas zu sein, das ist
die Bestimmung des Drahtbufetts, das gilt auch für so manche
Erscheinung auf dem Gebiete der Literatur und der Kunst unserer
Tage. Auf den Schein zu arbeiten, ist die Parole. Alles
sieht sehr gut aus, wenn es aus den Händen des Drahtbinders
kommt, ebenso wie solch ein moderner Blumenstrauß, aber ein
Stündchen Wartens, und das Skelett kommt zum Vorschein.

Als ich den aus dem Strauße herausgelösten Draht auf
eine kleine Wage legte, fand sich, daß das Gewicht etwas mehr
als hundert Gramm betrug. Also enthalten fünf Sträuße dieser
Art ein Pfund Eisen. Eine Tänzerin oder Zirkusreiterin, der
zwanzig und mehr Drahtbufetts an einem Abend zufliegen,
sollte dieselben nicht leichtsinnig wieder fortwerfen. Sie könnte
mit der Zeit ein kleines Nebengeschäft in altem Eisen eröffnen.

Die Raute

Ich habe einen kleinen Bedarf an Raute, den ich bei einem Kräutermann auf dem Wittenberger Platz, wenn dort Wochenmarkt ist, decke. Die Wappenpflanze des Königreichs Sachsen wird klein gehackt und auf Butterbrot gestreut wie Schnittlauch. Das schmeckt angenehm bitterlich und ist gesund. Es kaufen aber, wie mir der Kräutermann erzählte, wenige Menschen in Berlin Raute. „Die meisten," sagt er, „kennen sie nicht einmal." Dann klagte er mir, daß überhaupt der Kräuterhandel gegen frühere Zeit zurückgegangen sei. „Früher," sagte er, „mußte ich auch Gundermann haben, den verlangt jetzt niemand mehr, und ich habe ihn deshalb abgeschafft." Übrigens hat er eine recht hübsche Auswahl von Kräutern: außer Raute, Salbeih, Thymian, Majoran, Esdragon und anderem mehr auch Basilikum, das auch nicht häufig verlangt wird. Boretsch hat auch er nicht, ich muß mir daher diese Pflanze für den Hausbedarf selbst ziehen, und zum Glück gedeiht sie in mit Erde gefüllten Zigarrenkisten sehr freudig.

Ich habe die Raute gern, weil sie mich an den Tag erinnert, da ich sie wildwachsend fand. In Göttingen ging ich einmal nachts nach dem Schluß der offiziellen Kneipe, wie ich es oftmals tat, nicht nach Hause, sondern in die Welt hinein, dem Sommermorgen entgegen. Als es Tag wurde, wechselte ich aus dem damals noch bestehenden Königreich Hannover in das auch noch vorhandene Kurfürstentum Hessen hinüber. Darauf kam ich ins Tal der Werra und dort fand ich am Badenstein bei Witzenhausen wildwachsende, blühende Raute und mit ihr zugleich eine der merkwürdigsten einheimischen Orchideen, die „Fliegentragende" (Ophrys muscifera). Aus Freude über

diese beiden Funde wäre ich fast den sehr steilen Abhang, auf
dem beide Pflanzen standen, hinuntergerollt. Die Raute ist
ursprünglich nicht bei uns heimisch, kommt aber hie und da
wild vor, zumal in Weinbergen. Weinberge aber gibt es auch
in der Nähe ihres Standortes im Hessischen, bei der Stadt
Witzenhausen, wo die berühmte „Witzenhäuser Schattenseite" ge=
wonnen wird.

In der folgenden Nacht ging ich durch das Werratal nach
Münden und sah unterweges etwas Wunderbares. Unzählige
grüngoldene Sternchen schimmerten auf dem Laube und an
den Felsen. Die Glühwürmchen hatten eine Beleuchtungsprobe
angestellt, und diese war sehr gut ausgefallen. Es war un=
gefähr um diese Jahreszeit vor sehr vielen Jahren.

Kornblumen und Mohn

Kornblumen und Mohn kommen in zahllosen kleinen
Bündeln auf die Berliner Märkte. Man braucht darum nicht
zu besorgen, daß diese Feldblumen in der Umgegend von Berlin
ganz vertilgt werden möchten; nein, es verhält sich mit ihnen
wie mit den Wasserrosen, die auch in Unmengen auf die Märkte
der Hauptstadt gebracht und zu Tausenden und aber Tausenden
von den Berliner Gärtnern für ihre Bindereien verbraucht
werden. Von diesen wilden Blumen bringt die Natur in jedem
Sommer eine so große Zahl hervor, daß alles, was davon
durch begehrliche Menschenhände fortgenommen wird, gar nicht
ins Gewicht fällt. An Kornblumen und Mohn ist auch den
Landleuten nichts gelegen, sie können nur gegen das Abpflücken
dieser Blumen deshalb etwas einzuwenden haben, weil ihnen
leicht dabei die Kornfelder zertreten werden.

Der Feldmohn ist eine unserer schönsten und wegen seiner schreienden Farbe zugleich am meisten auffallenden Blumen. Seine Pracht ist aber sehr vergänglich: die Blumen, die mit aufgehender Sonne sich erschlossen haben, sind am Nachmittag schon hin. Damit rechnen auch die Händler und verkaufen den Mohn in Knospen. Für fünf Pfennige kann man ein Schock Knospen bekommen und hat daran eine ganze Woche hindurch Vergnügen. Eine Blume nach der anderen öffnet sich, die beiden Kelchblätter, wie zwei Eierschalenhälften geformt, tun sich auseinander und fallen ab. Dann kommt die Blume zum Vorschein aus ihrer Verpackung, anfangs anzusehen wie ein prachtvolles rotes Kleid, das ganz „zerknautscht" aus einer Schachtel genommen wird. Aber es glättet sich schnell von selber, keine Menschenhand braucht dabei zu helfen.

Berlin ist kein so schlechter Ort: man kann doch vom Markt ein Stück Kornfeld nach Hause tragen. Für viele freilich sind das nur hübsche Blumen, die sie sich mitnehmen; ein anderer aber, wenn er sie in der Hand nach Hause trägt, sieht vor sich das Feld, durchwirkt mit den blauen Blumen, die mit den Halmen zusammen im Winde schwanken. Er sieht die Luft zitternd in Sonnenglut darüberliegen, er hört den Gesang der Lerchen über dem Feld. Ja, es kommt ihm ins Herz etwas von Weltvergessen, als wären hinter ihm silbergrüne Wogen zusammengeschlagen. Solcherlei Gedanken auf der Straße nachzuhängen und dabei doch aufzupassen, daß man nicht von Pferdebahnwagen, Omnibussen, Equipagen, Droschken, Fahrrädern und Automobilen umgefahren wird oder auch selbst alte Herren und mit Paketen beladene Frauen umrennt, das ist eine Kunst, die in Berlin gelernt wird. Dazu ist das Gegenstück, des Nachts durch den Wald zu gehen, ohne irgendwo anzustoßen.

Der Königsschuß

Königsschuß in einer kleinen Stadt, das ist noch ein echtes und rechtes Volksfest. Aber in einer kleinen Stadt muß es sein, deren ganze Bewohnerschaft gewissermaßen e i n e Familie bildet, wo jung und alt, vornehm und gering an der Feier teilnimmt. In Berlin erhält alles Volksfestliche einen starken Zusatz von Gift durch die unerwünschte Beteiligung von Strolchen, halbwachsenen Schlingeln und anderen zweifelhaften Elementen. Auch sind wir in Berlin zu aufgeklärt und zu weit vorgeschritten für solche Dinge; bei uns wird an den Ernst von Schützenfestlichkeiten nicht mehr geglaubt. In der kleinen Stadt aber glaubt man noch daran, man ist noch mit einer gewissen Andacht bei der Sache. Selbst der Magistrat, der an großen Orten etwas so Zugeknöpftes hat, wirft sich hier in das frohe Gewühl und nimmt herzlichen Anteil an dem Ganzen. Und wenn einem Schützenbruder einmal der Hut etwas schief sitzt oder die Nase etwas mehr als gewöhnlich funkelt, ist er deshalb noch nicht hämischen Bemerkungen ausgesetzt.

Mir ward das Glück zuteil, in einer kleinen mecklenburgischen Stadt den Königsschuß mitfeiern zu können, leider erst vom zweiten Tage an. Am ersten Tage war der eigentliche Königsschuß abgegeben worden, und zum Schützenkönig hatte ein wackerer Lohgerber sich geschossen. Der Vater dieses Mannes hatte die Freude, in voller Rüstigkeit den Tag zu erleben, an dem sein Sohn im Wettkampf mit den besten der Bürgerschaft den ersten Preis erzielte. Als ich am folgenden Tage den alten Herrn, der selbst als Schütze früher viele Auszeichnungen errungen hatte, beim Bier dasitzen sah, strahlend vor Freude über den siegreichen Sohn, fühlte ich mich unwillkürlich an das klassische Altertum erinnert.

Am zweiten Tage des Festes wurden die neuen Schützenbrüder feierlich in den Verband aufgenommen, wobei der gut vier Flaschen haltende „Willekumm" aus Zinn umging. Tiefe Züge wurden getan und viele Toaste ausgebracht. Der „Willekumm" trug die Jahreszahl 1670 und war mit Schildern und Denkmünzen behängt, die hochstehende Personen im Laufe der Zeit der Schützenbruderschaft des Ortes zugeeignet hatten. Vordem soll ein älterer „Willekumm" vorhanden gewesen sein, der noch größer und kostbarer war; ob den aber die Schweden oder die Kaiserlichen außer Landes gebracht haben, hat sich nicht mehr ermitteln lassen.

Am Nachmittag des zweiten Tages wurde im Stadtholz nach Gewinnen geschossen. Dort hinaus zog alles, um sich unter den herrlichen grünen Buchen harmlos zu erlustigen. Dort stand die Schießhalle, dort gab es Erfrischungszelte, und ein bunter, kleiner Jahrmarkt war auf dem Waldboden aufgeschossen. An zahlreichen Stellen konnte man sein Glück am Roulette und mit dem Würfelbecher versuchen. Wer gewann, dem stand das Aussuchen unter vielen begehrenswerten Gegenständen aus Blech, Porzellan und Holz oder auch unter einer Anzahl blühender kleiner Topfgewächse frei. An dem Glücksspiel beteiligte sich mit besonderer Lebhaftigkeit die Jugend. Denn am zweiten Tage des Königsschusses zieht alles, was im Städtchen Onkel oder Tante heißt, die Spendierhosen an, und die Fünfzigpfennigstücke regnen nur so herunter. Neben den Glückstischen fehlte es nicht an anderen Ständen, wo Süßigkeiten der verlockendsten Art für klein und groß ausgelegt waren. Auch Kirschen, in Tüten gefüllt, waren zu haben und dem Feinschmecker von Beruf winkten Spickaale, goldbraun und glänzend von Fett.

Eine Musikkapelle spielte seit dem frühen Nachmittag vor

dem Haupterfrischungslokal im Buchholz. Um sechs Uhr ging
der Tanz los, auf den schon vorbereitet und ungeduldig wartend,
die niedlichsten Mädchen des Ortes, sauber wie aus dem Ei
geschält, sich eingefunden hatten. Zum Tanz spielte dann eine
andere Kapelle auf, die in unmittelbarer Nähe der ersten
sich postiert hatte, und nun spielten die beiden gleichzeitig gegen-
einander an, während dazwischen vom Schießstande her die
Schüsse knatterten. Anfangs hatte man dabei das Gefühl, als
müsse einem der Kopf wie eine platzende Granate nach allen
Richtungen hin auseinander gehen. Nach und nach gewöhnte
man sich daran, lachte darüber und erklärte es für nerven-
stärkend. Während die Jugend das Tanzbein schwang, saßen
die Alten beim Bier, besprachen die neuesten Welthändel und
ergingen sich in erregter Unterhaltung über ethische und künst-
lerische Probleme. Gegen Abend war das Gewinnschießen zu
Ende, und die Sieger im Kampf erschienen an den Biertischen
mit mehr oder weniger vielen silbernen Löffeln in den Knopf-
löchern. Bis tief in die Nacht hinein währte das frohe Fest.
      Ein so harmloses und gemütliches Volksfest ist nur in
einer kleinen Stadt noch möglich. Es gehört aber dazu außer
dem, was schon genannt ist, auch noch der Buchenhain, der
Finkenschlag, die Linden- und Rosenblüte und das Jelängerjelieber. Alles das ist in der kleinen Stadt und in ihrer
nächsten Umgebung zu finden. Und ein guter Trunk auch,
wenigstens im Mecklenburgischen.

Der Krämerladen

Es führten ein paar Stufen von der Straße
Hinauf zum Krämerladen, der für mich
Der Inbegriff war aller Herrlichkeit.
Oft ward von Hause ich dorthin geschickt,
Um einzuholen etwas für die Wirtschaft,
Und immer war's ein kleines Fest für mich,
Denn in dem Laden gab's der Wunder viele.

Da standen an den Wänden die Gestelle,
In zahllos viele Fächer abgeteilt,
An einem jeden Schubfach aber war
Zu lesen deutlich, was darin enthalten;
Dies zu studieren war schon eine Lust.
Wie viele Dinge gab es auf der Welt,
Die man im Haushalt, in der Küche brauchte,
Die einen seltner, häufiger die andern!
Nicht oft gefordert wurden Sternanis,
Safran und Ingwer, häufiger Muskatnuß,
Zimt, Koriander, Nelken und Piment
Und öfter noch Rosinen und Korinthen.
Zwei Arten Mandeln gab es, süß' und bittre;
Wenn sich einmal der junge Mann vergriff,
Ins bittre Schubfach statt ins süße langte
(Und das, ich weiß es, kam mitunter vor)

So war gewöhnlich eine Speise hin,
Auf die sich viele Herzen schon gefreut.

Auch auf dem Ladentische fand sich manches,
Was gut zu sehn war und wahrscheinlich auch
Zu essen gut.   Da lagen angeschnitten
Gewalt'ge Käse, scharfen Duft verbreitend,
Und viele Fäßchen standen beieinander
Mit Eingemachtem von verschiedner Art,
Das lockend aussah und geheimnisvoll.
Herunter von des Ladenraumes Decke
Hing andres wiederum; darunter waren
Bindfadenknäule jeder Größe, ferner
Talglichte, die zu Bündeln sich gesellt,
Sehr dünne, dickere und endlich dicke,
Die zu den dünnsten etwa sich verhielten,
Wie unter Menschen fette Metzgermeister
Zu armem Schreiber= oder Schneidervolk.
Ganz nahe bei den Lichten hing hernieder
An Fäden braun und weißer Zuckerkant
In herrlich kristallinischen Gestalten.
Es hätte wohl beschworen, wer ihn sah,
Nicht wär' er so durch Menschenkunst gebildet,
Nein doch, so schön geformt von der Natur,
Und eines Bergmanns Hand hätt' ihn gewonnen
Im Zuckerbergwerk, tausend Klafter tief,
Wo mit dem Grubenlicht er ward entdeckt.

Inmitten dieses Reichtums waltete
Ein junger Mann, der als Verkäufer sehr
Geschickt sich zeigte; auch nicht übel war

Gebildet er, nur daß im Winter ihm
Der unerbittlich mitleidlose Frost,
Der Ladenjünglinge geschworner Feind,
Die schlanken Finger jämmerlich entstellte.

Oft sah ich aufmerksam dem Jüngling zu,
Wie er die Kunden mit Geschick bediente.
Jetzt zog er einen Hering aus dem Faß,
Den kunstgerecht er einschlug in Papier,
Jetzt wog er Käse ab, jetzt Kaffeebohnen,
Jetzt träufelte auf einen Teller er
Den zähen Sirup, der so viel Geduld heischt,
Weil er so endlos lange Fäden spinnt.
Dann goß er Spiritus in eine Flasche
Vorsichtig mittels eines Trichters ein,
Dann wieder war er bei der grünen Seife
Und ging von der zur Schokolade über.
Daneben hatte er noch immer Zeit,
Zu scherzen mit den Mädchen, die da kamen,
Um dies und das zu holen für das Haus.
Die Schürzenbänder ihnen aufzubinden
Galt als ein Spaß, der zu den besten zählte
Und stets aufs neue herzlich ward belacht.

Ich wartete geduldig, bis die Reihe
Auch kam an mich, war doch zu sehn indessen
So vieles Schöne, und nicht ward die Zeit
Mir lang, bis freundlich mich der Jüngling fragte,
Was ich begehrte. Meinen Auftrag richtet'
Ich treulich aus, so gut ich ihn behalten,
Und legte auf den Ladentisch das Geld,

Das schon ganz warm mir in der Hand geworden.
War abgewogen dann und eingewickelt,
Was ich verlangt, bezahlt dafür der Preis,
Dann von dem ganzen Handel kam das beste:
Zum Fenster schritt er — o wie folgte man
Ihm mit den Augen! — wo die Gläser standen,
Mit bunten Zuckerplätzchen angefüllt.
In eins derselben griff hinein der Jüngling,
Ein weniges von seinem Inhalt tat er
In eine kleine Tüte. Dieses war
Das Prozenetikon — so lautet vornehm
Dafür der Ausdruck — welches man erhielt,
So oft man Zucker holte oder Reis,
Backpflaumen oder andres Gute mehr.
Mit dem Geschenk sprang man davon in Hast,
Um auf des Hauses Boden oder auch
Im Garten draußen froh es zu verzehren;
Und wie es köstlich mundete, daran
Im Alter noch erinnert man sich gern.

So oft durch eine kleine Stadt ich wandre,
Bleib' ich vor einem Krämerladen stehen
Und seh' mich forschend an den Fenstern um.
Bald find' ich es, was meine Augen suchen:
Die hohen Gläser sind es, angefüllt
Mit Zuckerplätzchen von verschiednen Farben.
Stets fühl' ich mich versucht, hineinzugehen,
Für ein paar Pfennige davon zu kaufen
Und heimlich zu erforschen irgendwo,
Vielleicht am Graben bei dem alten Turm,
Im nahen Wald vielleicht, an einer Stelle,

Wo niemand mich belauschen kann dabei,
Ob sie so köstlich schmecken noch wie einst.
Doch wenn ich dann noch einmal näher sie
Betrachte mir, wie lebhaft sie gefärbt sind,
Rot, gelb und blau und manche grün sogar,
Dann überkommt mich Furcht, sie könnten wohl
Gelitten haben im Verlauf der Zeit
Und eingebüßt von ihrem Wohlgeschmack.
Indessen man zu Jahren kommt, verändert
Ja der Geschmack an manchen Dingen sich —
Und nein, den Glauben will ich mir bewahren
Um alles doch, daß sie vortrefflich sind.

Auf der Höhe

Was ist „Hoch-Parterre"? Als „Hoch-Parterre" wird in dem neuen Hause in Berlin W., in das ich gezogen bin, die Wohnung bezeichnet, die dreiundzwanzig Stufen über der Straße liegt. Bei einem solchen Höhenverhältnis überhaupt noch von Parterre zu sprechen, erscheint etwas kühn. Dreiundzwanzig Stufen geben eine ordentliche Treppe ab, von den drei übrigen Treppen des Hauses zählt auch nur eine mehr, nämlich fünfundzwanzig Stufen, jede der beiden andern hat nur zweiundzwanzig. — Das „Hoch-Parterre" ist bei den neuen Häusern Berlins entstanden durch Hinaufrückung des Souterrains, das jetzt ein paar Stufen über der Straße zu liegen pflegt, also gar nicht mehr berechtigt ist, seinen alten Namen zu führen. In der Tat ist es zum Parterre-Geschoß geworden, und was darüber liegt, müßte als „eine Treppe hoch" bezeichnet werden. Diese eine Treppe aber wird unterschlagen, wird nicht mitgerechnet, der Eitelkeit törichter Leute zu liebe, die nicht sagen mögen, daß sie drei oder gar vier Treppen hoch wohnen. Was als drei Treppen bezeichnet wird, das sind verschämte oder unverschämte vier Treppen, die gestiegen werden müssen, mag man sie nun mitzählen oder nicht.

Mir ist es unbegreiflich, wie man Anstand daran nehmen kann, zu sagen, daß man unter dem Dach wohnt. Mein Wahlspruch ist „Immer höher!" und ich achte es für einen großen

Vorteil, mit meiner Wohnung in Berlin so hoch gekommen zu sein, daß ich weiter nicht steigen kann. Mit Parterre fing ich an 1864, seitdem habe ich mich Stufe um Stufe bis zur Höhe von zweiundneunzig Stufen emporgeschwungen. Wieviel Gutes ist doch mit einer so hoch gelegenen Wohnung verbunden! Tief unter mir liegt die Straße mit ihrem Dunst und Lärm. Ich wohne eigentlich gar nicht mehr in der Stadt, sondern auf dem Gebirge. Wenn ich auf den Balkon trete, glaube ich auf dem Hexentanzplatz zu stehen und in das Bodetal hinunter zu blicken. Und was für ein großes Stück Himmel übersehe ich! Die Telephondrähte sind mir so nahe, ich könnte fast Noten darauf schreiben. Der Portier ist mir fern, ich bin seiner Beobachtung am wenigsten von allen Parteien im Hause ausgesetzt. Über mir wohnt niemand, ausgenommen vielleicht ein paar Mäuschen, die weder Klavier spielen, noch Nähmaschinen treten, noch sich mit Geräusch die Stiefel ausziehen, noch des Nachts Verse machend auf und ab gehen. Wenn aber der Steuererheber an den vier Treppen Anstoß nimmt und deshalb nicht zu mir kommt, nun so mag er fortbleiben! Viel hat man doch nicht von seinen Besuchen, da er immer sehr eilig ist.

Das vergessene Spielzeug

Morgendämmrung! Aus der großen Stadt
Schleicht ein Mann hinaus sich müd' und matt,
Der kein Heim hat und kein Ruhekissen,
Obdachlos, verkommen, abgerissen.
Vor dem Tore, wo der Park beginnt,
Sucht er nach den Bänken, die da sind.
Deren eine, halb versteckt im Grün,
Wählt er sich, die passend scheint für ihn.
Eben niedersinken will er schwer
Auf den Sitz — warum nur zaudert er?
Auf der Bank, da er gedenkt zu rasten,
Stehn zwei Tierchen aus dem Noahskasten,
Die ein Kind bei seinem Spiel vergaß,
Als am Nachmittage dort es saß.
Diese sieht der Mann und sieht und starrt —
Sind die Tierchen so besondrer Art?
Sie nicht umzuwerfen, hat er jetzt
Sich mit Vorsicht auf die Bank gesetzt.
Schlafen möcht' er, doch er kann es nicht,
Immer wieder muß er sein Gesicht
Zu den Tierchen wenden, die da stehn.
Wo nur hat er ähnliche gesehn?
Seltsam doch, sie scheinen ihm bekannt —

Und er stützt das Haupt in seine Hand,
War's vielleicht — es war ja wohl im Traume,
Daß sie standen unter einem Baume,
Der erglänzte von der Kerzen Licht.
Nein doch, nein, geträumt hat er es nicht.
Schlafen möcht' er, doch nicht schläft er ein;
Hell und heller wird des Tages Schein,
Und nicht lassen ruhen ihn und rasten
Die zwei Tierchen aus dem Noahskasten,
Lassen ihn nicht bleiben an dem Ort.
Er erhebt sich — seufzend schwankt er fort.

6 *

Weinlese in Berlin

Der Wein in Berlin und Umgegend ist reif. Auf den Märkten erscheinen neben den ausländischen auch schon hiesige Trauben, die gar nicht übel aussehen. Auch im Villenviertel von Berlin W., wo es sehr hübsche kleine Gärten gibt und viel Wein an Spalieren gezogen wird, sind schon Trauben geschnitten, und zwar, wenn man den Berichten der Weinbauer des Westens glauben kann, außerordentlich große. In Freundeskreisen wurde von einer Traube erzählt, die reichlich ein Pfund wog, also schon sehr an diejenige erinnert, welche die Kinder Israel am Bach Eskol abschnitten und auf einem Stecken trugen.

Die Weinbauer von Berlin sind sehr stolz auf die Erträgnisse ihrer Spaliere und sehr eifersüchtig aufeinander in Hinsicht auf die erzielten Resultate. Um zuerst reife Trauben zu haben, sollen einige das Weichwerden der Beeren durch täglich wiederholtes Kneifen und Drücken derselben befördern, wodurch allerdings der schöne Duft oder Reif, der sonst diese Früchte ziert, verloren geht. Man sagt auch, daß manche von ihnen ihr Weinland mit Asche von Havannazigarren zu einer Mark das Stück düngen, daß sie die Reben mit Champagner begießen und der Art mehr verüben, was an die Ausschweifungen der römischen Kaiserzeit erinnert.

Ein mir befreundeter Weinbauer in der Buchenstraße hatte im Herbst vorigen Jahres gekeltert und zog auch mich zum

Koſten des gewonnenen „Heurigen" heran. Mutig griff ich
zum Glaſe, das eine angenehm lehmgelbe Flüſſigkeit enthielt
und nahm einen herzhaften Schluck. Mein erſtes Gefühl war,
als hörte ich ein Muſikſtück, das von dreihundert Teufeln auf
Pferdeſchädeln, Bratpfannen und dergleichen Inſtrumenten ge-
fiedelt wurde. Dann lief es mir eiskalt über den Rücken.
Dann war mir zumute, als würde ich von einer furchtbaren
Fauſt gepackt und anhaltend heftig geſchüttelt. Hierauf brach
ein wohltätiger Schweiß aus, und endlich kehrte das frühere
Wohlſein wieder. Nur eine kleine Schwäche blieb zurück, die
ich durch eine Flaſche Rißbacher Auslese kurierte.

Das war im vorigen Jahr, das als kein gutes Wein-
jahr angeſehen werden konnte. „In dieſem Jahr aber," ſagt
mir mein Freund und Weinbauer im Weſten, „iſt alles gut
verlaufen, und wir bekommen einen Wein hier bei uns, der
ſich vor dem Züllichauer nicht zu ſchämen braucht."

Gänſe in der Hauptſtadt

Manches Merkwürdige geſchieht in Berlin, aber etwas
Merkwürdigeres, als ich heute geſehen habe, iſt mir noch nicht
vorgekommen, ſeit ich in dieſer Ortſchaft wohne. Eine Herde
Gänſe wurde heut vormittag durch die Straßen des äußerſten
Weſtens von Berlin getrieben. Sie gingen natürlich nicht
ruhig ihres Weges, ſondern ſchrien dabei, wie es der Gänſe
Art iſt. Das Gänſegeſchrei aber klang hinauf zu manchem
älteren Mann, der oben mehrere Treppen hoch ruhig bei der
Arbeit ſaß. Unwillkürlich hielt er im Schreiben inne und ſagte
zu ſich: „Das iſt doch Gänſegeſchrei! Woher kommt das?
Sollten es vielleicht künſtliche Gänſe ſein oder auch wilde, die

ein Nordsturm in diese nur zu wirtliche Gegend verschlagen hat?" Dann dachte er weiter nach über Gänse, und in die Erinnerung kam ihm die Zeit, da er mit Gänsefedern, die Posen genannt wurden, einst die edle Kunst des Schreibens gelernt hatte.

Auch zu mir drang das Gänsegeschrei herauf, und im Nu war ich unten. Da sah ich, wie eben die letzten Wackelschwänzchen hinter einer Straßenecke verschwanden. Da aber die Gänse nur langsam marschieren, hatte ich sie bald eingeholt. Ja, es waren natürliche Gänse, lauter weißgraue, 40 bis 50 Stück. Zahme waren es auch, denn es war ein junger Hirte dabei — nicht eine Hirtin, wie ich eher erwartet hätte nach dem, was ich bisher von Gänsetreiberei in Wirklichkeit oder gemalt gesehen hatte. Der Hirte sah etwas zu nobel aus. Er trug einen Überzieher, er hatte Stiefel an und darunter wahrscheinlich auch noch Strümpfe.

Unterdessen hatten sich Kinder eingefunden und umstanden staunend die Herde. Auch verschiedene ältere Personen trieb Neugier und Wißbegierde an, sich die seltsame Erscheinung in der Nähe zu betrachten. Es war doch sehr anziehend, das Geschöpf einmal lebend zu sehen, das ihnen genauer nur in der Gestalt von Braten, „Klein", Weißsauer oder Spickgans bekannt gewesen war. Die Maurer auf dem Neubau machten alle eine Pause und starrten, in der einen Hand die Kelle, in der andern den Stein haltend, auf die Straße hinunter und auf die Gänse, indem sie wahrscheinlich dabei ihrer dörflichen Heimat sich erinnerten.

Weshalb aber die Herde durch die Straßen getrieben wurde, ward mir auf einmal klar. Plötzlich tauchte ein Budiker der Gegend auf und unterhandelte mit dem Hirten. Darauf ergriff er zwei Gänse und ging mit ihnen, indem er die heftig

Sträubenden an den Flügeln gefaßt hielt, nach seinem Geschäfts-lokal ab, wo ihrer, wie ich fürchte, ein sehr trauriges Schicksal harrte. Jetzt war mir alles klar: die Gänse wurden zum Zweck des Verkaufes und nicht, um sich die Stadt anzusehen, durch Berlin W. geführt. Wahrscheinlich hatten sie am Morgen früh, da der Nebel noch die ungeheure Stadt geheimnisvoll einhüllte, als eine Herde von tausend oder mehr Stück den fernsten Osten Berlins verlassen und waren nach und nach, bis sie in die Nähe des Zoologischen Gartens gelangt waren, zu dieser verhältnismäßig kleinen Zahl zusammengeschmolzen.

Als die zwei aus ihrer Mitte herausgerissen wurden, er-hoben alle übrigen ein klägliches Jammergeschrei. Nach einer Weile hatten sie sich gefaßt und marschierten still weiter. Offen-bar waren sie sehr hungrig, denn sie fuhren beständig mit den Schnäbeln zwischen den Pflastersteinen herum, ohne doch ein Gräschen finden zu können. Es waren aber vor einem Neu-bau die Pferde eines Steinwagens gefüttert worden, und davon lag an einer Stelle viel verstreuter Hafer. Das entdeckte zuerst eine von ihnen, gleich darauf aber fiel die ganze Schar mit lautem Freudengeschrei über die Körner her. Während sie sich dann eifrig dem Genuß hingaben, schienen sie völlig getröstet zu sein und den Verlust ihrer Gefährtinnen ganz verschmerzt zu haben. Das könnte einen fast wundernehmen, aber so sehr viel anders machen's die Menschen ja auch nicht.

Der Sperling im Winter

Wovon lebt der Sperling im Winter? Er geht nicht im Herbst in südliche Länder, wie andere Vögel, sondern bleibt daheim, wenn auch der Winter noch so arg ist. Er sammelt nicht Vorräte, sondern wenn das Korn eingeführt und auf den Stoppeln nichts mehr zu finden ist, dann hat er nichts. Es gibt keinen so armen Mann im ganzen Lande wie den Sperling, wenn der erste Schnee draußen gefallen ist. In seiner Wohnung ist nichts zu finden, und verdienen kann er sich auch nichts. Er kann weder Holz hacken noch Kartoffeln schälen, auch nicht fegen und kehren oder Wasser tragen. Nicht einmal singen kann er.

Doch findet er den ganzen Winter hindurch sein Brot. Auf dem Dorf geht er zu den Bauern und sieht zu, wie gedroschen wird. Dabei fällt manches Körnlein für ihn ab. In der Stadt ladet er sich bei armen wie bei reichen Leuten zu Gast. Wo Pferde ihren Hafer bekommen, ist er da und sagt: „Ich darf doch mitessen? Das wenige, was ich mir nehme, macht ja nichts aus." Und wo einem Huhn das Futter gestreut wird, fliegt er auch herbei und spricht: „Du erlaubst doch? Ich werde es dir wiedergeben im Sommer, wenn die Erbsen reif sind." Überall ist er da, wo es etwas zu picken gibt.

Draußen ist kalter Wintertag. Auf dem Fenstersims liegt Schnee. Da kommt er angeflogen, reckt seinen Hals und ruft in das Zimmer herein: „Ist nicht vom Mittag etwas übrig geblieben?"

Gehst du dann nicht hurtig in die Küche und holst ihm etwas?

Vom Weihnachtsmarkt

Weihnachtsbäume sind sehr knapp dies Jahr! Dies Gerücht war natürlich wieder von den Händlern ausgesprengt worden, um möglichst hohe Preise zu erzielen; bald aber zeigte sich, daß es durchaus unbegründet war. Der Markt erwies sich als sehr gut mit Weihnachtsbäumen befahren, und drei Tage vor dem Fest standen noch ganze Wälder unverkauft da. Als es sich nicht mehr verschleiern ließ, daß keine Baumnot bevorstand, fand ein starkes Abflauen der Preise statt, einige sprachen sogar von einem Preissturz.

Die große Masse des diesjährigen Weihnachtsbaumbestandes bildete wieder die Rottanne unserer Gebirge, Edeltannen kamen hie und da in geringer Zahl vor, und sehr selten sah man eine Kiefer. Im ganzen war Nadelholz genug da in der Stadt, aber es war kein Weihnachtswetter, und auf der schmutzigen Straße im Regen stehend, nahmen die Tannenbäumchen sich auch nur trübselig aus — sie brauchen einen Untergrund von Schnee. Endlich wurde die Witterung fester und es schneite. Es war aber ein etwas ungestümes Gestöber, das auf dem Weihnachtsmarkt einige Bestürzung hervorrief. Die Flocken wirbelten, von lebhaftem Winde getrieben, durcheinander und wollten durchaus in alle Buden hinein. Da galt es zunächst, den am meisten bedrohten Pfefferkuchen zu retten. Schnell wurden Decken und Tücher darüber gebreitet, manche der Art, daß man nachdenklich werden konnte, wenn man sich vorstellte, daß etwas Eßbares darunter lag. Die Puppen, die vorn am Rande der Verkaufstische saßen, erhoben ein Geschrei, als es ihnen in die Gesichter schneite, und mußten in die Hintergründe geflüchtet werden. Von den Tieren wurden vor allen diejenigen geborgen, die, wenn sie naß werden, dem Abfärben ausgesetzt sind. Mancher Löwe und manches Lämmchen wurde doch in der Eile übersehen und blieb im Schnee stehen. Schlimm hatten es diejenigen Händler, die keine Bude besitzen, sondern nur ein Verkaufstischchen. Auf einem solchen standen viele kleine Bettgestelle, und in jedem derselben lag ein nacktes Püppchen.

Als ich das sah, waren die armen, kleinen Dinger schon stark
eingeschneit. Hinter dem Tischchen aber saß eine alte Frau
ganz still und anscheinend teilnahmlos, als ginge das Elend vor
ihr sie gar nicht an. Sie regte sich nicht, und der Schnee
blieb liegen auf ihrer Haube.

Kleinigkeiten

Es gibt einen Zaun, geflochten aus den Redensarten: Es
läßt sich eben nicht machen! — Die Umstände erlauben es
nicht! — Es ist der Leute wegen nicht möglich! — Die Ver-
hältnisse sind nicht der Art! u.s.w. Vor diesem Zaun bleibt
einer stehn, wenn dahinter die Pflicht ist und sagt: Ihr seht
ja, man kann nicht hinüber. Ist aber dahinter die Lust, so
sagt er nichts, sondern eins, zwei, drei! ist er drüben.

Die Taler haben, wie die Menschen, die ganz besondere
Neigung, einander aufzusuchen. Die Art ihres Zusammen-
kommens ist aber je nach den Umständen eine sehr verschiedene.
Bei dem einen ruft der Taler zu Hause den Taler draußen
zu sich; bei dem andern ruft der Taler draußen den Taler
aus dem Hause. Der eine wie der andere kann gegen dieses
Benehmen der Taler nur wenig ausrichten.

Das Glück suchen ist immerhin eine mißliche Sache. Mancher
geht aus, es zu suchen und sucht es an aller Welt Enden, ohne
daß er es findet. Unterdessen sucht ihn das Glück, und da
es ihn nicht zu Hause findet, geht es ärgerlich fort und kehrt

nicht wieder. Das Sicherste ist und bleibt es immer, ruhig bei der Arbeit aufs Glück zu warten.

Welches sind die Hauptzeichen, daß es mit einem kleinen oder großen Haushalt schlecht steht? Schlimme Gäste, ungerechter Handel und kein Geld zum Notwendigen.

Schlechte und ungetreue Bediente pflegen, wenn sie sich sicher glauben, daß ihr Herr nicht unter sie schlägt, im Ton größter Vertraulichkeit, als wäre er ihresgleichen, von ihm zu sprechen. Gott hat solcher Bedienten viele.

Etwas Gutes anbieten kann nicht jeder; aber etwas Gutes verlangen kann auch nur, wer es zu schätzen weiß. Nichts ermuntert den Arbeiter, der Gutes liefern kann, mehr, als daß von ihm das Beste verlangt wird. Daß aber von dem Tüchtigen — wie es oft geschieht — Gemeines gefordert wird, das macht ihn mutlos.

Vor Weihnachten wird in manchem Laden manches „für die Leute" gefordert, das auch den billigen Preis, der dafür bezahlt wird, nicht wert ist. Das Geschenk wird gemacht, weil eben ein Geschenk gemacht werden muß. Was Wunder, wenn auch „die Leute", indem sie eine Arbeit nur so machen, damit sie eben gemacht sei, sich vor sich selbst mit den Worten entschuldigen: „Für die Herrschaft!"

Ein englischer Maler hat einmal ein Bild gemalt: Der heilige Franziskus predigt den Vögeln. Es wird nämlich erzählt, daß der heilige Mann, dem es nicht genug war, die Menschen zu lehren, in frommem Eifer auch den Tieren, zumal den Vögeln, Predigten zu halten pflegte. — Schön von Franziskus, daß er es tat, und schön vom Maler, daß er es malte. Aber ein noch schöneres Zeugnis von Franziskus sowohl als von dem Maler würde ein Bild ablegen, darstellend: **Die Vögel predigen dem heiligen Franziskus.**

Feld, Wald und Heide

Erster Frühling

Linder Wind von Westen weht,
Junges Grün bricht aus dem Beet,
In der Luft schwebt Lerchenton,
An den Zweigen knospt es schon.
  Wart' ein Weilchen,
Über Nacht erblühen die Veilchen.

Märztag

O ein Tag im März, o im März ein Tag,
Wenn erklingt vom Wipfel der Amsel Schlag!

Schon so freundlich lächelt die Sonne drein
Und die Luft, noch ist sie so herb und rein.

Nur der Haselstrauch ist so früh schon wach,
Und ein Veilchen schon blüht vielleicht am Bach.

O im März ein Tag, o ein Tag im März,
Wenn es heimlich knospet schon allerwärts!

Manch Menschenleben, wie ist's ihm gleich,
So arm noch, aber so ahnungsreich!

Manch Menschenleben, das schnell vorbei,
Eh' es aufgeblüht, eh' ihm kam sein Mai.

Noch so herb und rein wie im März ein Tag,
Wenn erklingt vom Wipfel der Amsel Schlag.

Wenn ein Veilchen schon sich erfreut des Lichts,
Und noch nichts ist welk, noch zerfallen nichts.

Die erste Lerche

Es gibt doch nichts, was besser klingt
Und tiefer dringt ins Herz,
Als wenn die erste Lerche singt
Ihr erstes Lied im März.

Schneeglöckchen ist noch ganz allein
Und blickt erstaunt umher:
Aufs Beet fällt milder Sonnenschein,
Doch alles noch ist leer.

Es blickt umher, es graut ihm fast,
Weil es so ganz allein,
Da stellt sich als willkommner Gast
Ein Bienchen bei ihm ein.

Das hat wohl lange nachgefragt,
Gesucht auf manchem Beet.
Ich weiß es nicht, wer's ihm gesagt,
Wo schon ein Blümlein steht.

So mancher Vogel schlägt nachher,
Die Welt ist voll Gesang,
Nichts aber freut das Herz so sehr,
Als was zuerst erklang.

Bald blüht so viel und duftet süß
Im Tal und auf der Höh,
Nichts aber ist so hold wie dies,
Das aufblüht aus dem Schnee.

Und fällt auch Schnee darauf und schweigt
Die Lerche wieder still,
So hat der Frühling doch gezeigt,
Daß er nun kommen will.

Drum gibt es nichts, was besser klingt
Und tiefer dringt ins Herz,
Als wenn die erste Lerche singt
Ihr erstes Lied im März.

Aprilwetter

Manchmal hernieder aus der Höh
Fällt auf die ersten Blumen Schnee.
Manch kalten Regen bringt April,
Dann werden Menschen und Vöglein still.
Kaum aber scheint die Sonne wieder,
Erklingen neue Jubellieder.

Butterblumenzeit

Gelb ist nicht schön als Blumenfarbe, nein!
Den meisten Menschen gilt es als gemein.
Rot ist viel schöner, sehr viel feiner Weiß,
Und Blau nun erst hat aller Farben Preis.
Gelb aber — nein, die Augen tun mir weh,
Wenn ich so vieles Gelbe glänzen seh'
An Staub' und Kraut, wie es im Herbst geschieht,
Da man nur wenig andres blühen sieht.
Doch e i n e gelbe Blume hab' ich gern,
Die jetzt das Grün der Wiesen nah und fern
Und jeden Grasplatz schmückt und jeden Rain:
Die Butterblume, die so sehr gemein.
Auch Löwenzahn nennt man sie nach dem Blatt,
Das Löwenzähnen gleiche Zacken hat.
Vor wen'gen Tagen noch, wohin man sah,
Sie suchend, war nicht eine einz'ge da.
Auf einmal dann erschloß dem Sonnenlicht
Hier eine und dort eine ihr Gesicht,
Bis plötzlich alles voll von ihnen stand,
Als hätt' es Gold geregnet auf das Land.
Ich denk' zurück an längst verschwundne Zeit,
O holde Zeit, wie liegst du jetzt so weit,
Als man, im Grünen sitzend, noch so nah
Den Frühlingsblumen in die Augen sah,
Maßlieb und Ehrenpreis und andern mehr —
Die sind jetzt fern, mich bücken fällt mir schwer.
Ich seh die Wiese mit dem Plankenzaun,
Dahinter Kühe grasen, bunt und braun,

Und alles liegt im hellen Sonnenstrahl.
Da standen Butterblumen ohne Zahl,
Aus deren Stengeln man sich Ketten schlang,
Indes die Lerche über einem sang.
Nach Hause trug man Händchen, braun gefleckt
Vom Saft des Krauts, mit dem sie ganz bedeckt.
Und wenn die goldgefärbte Blume fiel,
Tat sich ein andres Wunder auf am Stiel:
Die Samenkrone, die von uns genannt
Pustblume war, die hielt man in der Hand
Und blies darauf, und Glück bedeutet' dies,
Wenn in die Luft man alle Strahlen blies
Mit einemmal — nicht immer kam es so,
Indessen blieb man doch nicht wen'ger froh.

Erinnerung vielleicht an alte Zeit
Macht diese Blume mir so lieb noch heut,
Allein ich glaube, dieses auch ist wahr:
Die schönste Zeit bleibt immer doch im Jahr
Die Butterblumenzeit, auch wenn man nicht
Die Blumen mehr im Grün der Wiese bricht.
O schöne Tage, wundervolle Zeit,
Wenn Schwalben bauen und der Kuckuck schreit,
Wenn Vogelsang aus jeder Hecke klingt,
Durch Frühlingsgrün das klare Bächlein springt,
Wenn Flieder duftet, und aufs Gartenbeet
Der Kirschenbaum schneeweiße Flocken sät.
Zu alledem, was glänzend ist und hold
Um diese Zeit, paßt auch das blühnde Gold.

7*

Königskerze

Königskerz' auf der Heide
Geht in blaßgrüner Seide,
Reckt die Arme zum Himmel auf,
Trägt einen Leuchter mit Lichtern drauf.
In der Nacht, in der Sommernacht
Leuchtet hell ihrer Kerzen Pracht;
Dann halten in dem goldnen Schein
Die Elfchen ihren Ringelreihn.
Wer hat's gesehn? Zwei Wandersleut
Berichten darüber hocherfreut,
Ein Käfer und eine Grille;
Die kamen spät des Wegs daher,
Sahen den Tanz und staunten sehr
Und hielten sich mäuschenstille.

Das Kornfeld

Was ist schöner als das Feld,
Wenn die Halme all die schlanken
   Leise schwanken,
Und ein Halm den andern hält.

Wenn im Korn die Blumen blühn
Leuchtend rot und blau dazwischen
   Und sich mischen
Lieblich in das sanfte Grün.

Wenn es flüsternd wogt und wallt,
Lerchen sich daraus erheben,
  Drüber schweben,
Und ihr Lied herniederschallt!

Dann den schmalen Pfad zu gehn
Durch das Korn — welch eine Wonne!
  Nur die Sonne,
Nur die Lerche kann uns sehn.

Der Riese und das Waldweibchen

Der Ries' ist in den Wald gegangen,
Hat sich ein Waldweibchen eingefangen,
In einen Käfig es gesetzt,
Drin sitzt es wie ein Vogel jetzt.
Der Riese sein mit Sorgfalt pflegt,
Zwischen des Käfigs Stäbe legt
Er alle Tag' ihm frisches Grün
Und Blumen, wie sie im Walde blühn;
Versieht es wohl mit Trank und Speis',
Spricht freundlich ihm zu in Riesenweis'.
Das Weiblein in der Gefangenschaft
Benimmt sich auch ganz vogelhaft:
Singt unverdrossen von früh bis spät,
Bis daß die Sonne niedergeht,
Es singt so süß, so hell, so rein
Von allen Wonnen im grünen Hain.
Der Riese hört vergnüglich zu,
Flickt sich dabei seine Riesenschuh

Und denkt bei sich: Auf dieser Welt
Ist es doch sonderbar bestellt.
Wir Riesen singen ja auch einmal,
Dann wackeln Felsen, es bebt das Tal,
Der Wald fällt um, einstürzt das Haus,
Hirten und Herden reißen aus —
Und doch nicht halb so schön es klingt,
Als wenn so ein winzig Wesen singt!

Fingerhut

Wo das Beil den Wald gelichtet,
Hat mit roter Glocken Pracht
Fingerhut sich aufgerichtet.
Sagt, wer hat die Saat gemacht?

Wohl ein Elf war's, der die feinen
Körnlein hat gestreut ins Moos.
„Sonne mag nun auf dich scheinen,
Tau und Regen zieh' dich groß!"

Nun an freien Bergeshängen
Prangt er in der Sonne Schein.
Unter ihm in dunkeln Gängen
Liegt das Erz in dem Gestein.

Kind des Berges! schöner kleiden
Sich der Kön'ge Töchter nicht.
Nieder blickst du so bescheiden,
Deine Schönheit ist so schlicht!

Kind des Berges, schön gestaltet,
Aus dem Märchenreich gesandt,
Schmück, wo Friede um dich waltet,
Bergeshang und Felsenwand!

Am Sommertag

Ich ging bei hellem Sonnenschein
In die blühende Heide hinein.
Die Bienen summten hin und her
Über dem roten Blütenmeer,
Mit Fleiß den Honig sich zu suchen,
Daraus man macht die braunen Kuchen
Im Winter um die Weihnachtszeit.
Das Wachs auch stellen sie bereit
Zu den Kerzen, die freundlich glühn
Wie Sterne im dunkeln Tannengrün,
Und wie ich weiter ging, da fand
Ich auch ein Bäumchen, das da stand,
Ein Tännlein war es — ein beßres kaum
Konnt man sich wählen zum Weihnachtsbaum.
So wird am Sommertag auf der Heide
Schon gesorgt für die Weihnachtsfreude;
Wer aber, der die Pracht dann schaut,
Denkt an Bienen und Heidekraut?

Der Wetterfrosch

Der Baum senkt seine Blätter
So durstig auf die Flut;

Der Frosch sieht nach dem Wetter
Und sagt: „Nun wird es gut!
Ich seh nun schon so lang hinauf,
Indessen zieht es dunkel auf;
Es kommt ein Regen, ein Regen!
Es regene meinetwegen!
   In meinem Teich
   Ist mir das gleich,
Mein grünes Röcklein ist immer naß,
Das Wasser komme — was schert mich das! —
Von oben oder von unten;
Doch eure Röcklein die bunten,
Wer weiß, ob denen der Regen frommt —
Macht, Dirnlein, daß ihr nach Hause kommt!"

An die Heimat

Vielliebe Heimat, waldumsäumter Meeresstrand,
Oft regt die Sehnsucht sich in meiner Brust nach dir,
Am meisten aber um die holde Jahreszeit,
Wenn voll entfaltet frisch noch glänzt der Buche Laub,
Der Schmelz der Wiese noch unangetastet ist,
Und wenn in Ähren lieblich wallend geht das Korn.
Dann denk' ich gern der Tage, da am Waldesrand
Auf einem Hügel sitzend ich den Blick erfreut
An weiter Felder unaufhörlichem Wellenschlag.
Und aus dem silbergrünen Meere hie und da
Hob sich ein Anger, ganz in Purpurrot getaucht,
Von zahllos vielen Häuptern aufgeblühten Mohns.
Der Tage denk' ich gerne, da ich ruhevoll

Durchstrich der frühlingsgrünen Wälder Einsamkeit,
Die Augen weidend an der stillen Blumen Pracht,
Und bis ins Herz von süßem Schauer angefaßt,
Wenn in den Wald sich plötzlich brausend warf der Wind.
O schöner Anblick, dessen ich so oft genoß,
Wenn durch der Buchen graue Stämme ich vor mir
Aufschimmern sah das Meer im allertiefsten Blau,
Und mir der Welle leiser Anschlag tönt' ins Ohr.
Das alles gerne möcht' ich einmal wiedersehn,
Und auch den Garten, wo ich einst als Kind gespielt,
Der nun schon lange fremder Leute Eigentum.
In meinen Träumen sah ich ihn so manche Nacht,
Und unverändert ist er stets der alte dann;
Ich aber möchte wissen, ob vorhanden noch
Die kleine Tanne — groß jetzt ist sie, wenn sie lebt —
Die einst der Vater pflanzte auf den Rasenplatz,
Als eben ich geboren, die er heimgebracht
In seiner Tasche damals aus dem nahen Wald.
Bald überwuchs sie, in die Höhe schießend, mich,
So schnell auch ich emporwuchs in der Jugendzeit,
Die möcht' ich gerne wiedersehn, wenn sie noch lebt,
Und doch ein wenig bangt mir vor dem Wiedersehn.
Denn ob auch beide fast wir e i n e s Alters sind,
Kam ich doch selber in die Jahre allgemach,
Da hier und dort schon etwas morsch am Menschen wird
Und manchmal leis' ihm der Gedanke tritt ans Herz:
Ob nicht ein Förster, wandelnd durch den Menschenwald,
Schon für den nächsten Einschlag ihn gezeichnet hat.
Du aber, Tanne, gehst jetzt in die Jahre erst
Der vollsten Stärke und des freudigsten Gedeihns;
Vor dir in weiter Ferne liegt das Alter noch,

Das einst auch deine stolzen Glieder beugen wird.
Darum befürcht' ich, daß du sagen wirst zu mir,
Wenn du mich musterst, während du dein Haupt vielleicht
Mitleidig schüttelst: Wahrlich, kaum erkenn' ich dich.
Seit unter meinen Zweigen du als Kind gespielt,
Hast du dich sehr verändert — und zum Vorteil nicht.

Das Herdfeuer

So dunkel schon, rings Einsamkeit,
Der Wald ist nicht geheuer!
Da liegt ein Häuschen mir zur Seit',
Und auf dem Herd brennt Feuer.

Ich seh' es durch die offne Tür,
Die Mutter steht am Herde
Und kocht und rührt und sorgt dafür,
Daß gut das Süpplein werde.

Zwei Kinder vor dem Herde stehn,
Zwei blonde, liebe, kleine.
Ich kann die Köpfchen glänzen sehn
In hellen Feuers Scheine.

Ein Kätzchen auch den Herd umschleicht
Und scheint da wohlgelitten,
Vom Abendbrot will es vielleicht
Für sich etwas erbitten.

Bald war das kleine, helle Bild
Entschwunden meinem Blicke,
Ich aber dacht, von Freud' erfüllt,
Noch lang daran zurücke.

Und fröhlich ging ich in die Nacht
Hinein, die nicht geheuer.
So hat das Herz mir warm gemacht
Auf fremdem Herd ein Feuer.

Naturgenuß auf der Bahn

Man hat unterwegs immer etwas zu sehen, auch in der „schrecklich langweiligen" und „furchtbar einförmigen" norddeutschen Ebene. Mir wenigstens ist es, wenn ich auf der Bahn über sie hinfahre, als durchblätterte ich ein Bilderbuch, in dem ein anziehendes Bild auf das andere folgt.

Sind die Wiesen nicht immer hübsch anzusehen mit dem bunten Vieh darauf? Und auf den Feldern ist stets etwas zu beobachten, nicht das wenigste um die Zeit, da die Ernte vor sich geht. Auf einem Felde steht schon das Korn in Hocken, zwischen denen die Krähen aufmerksam umhergehen, als musterten sie den Ertrag; auf einem anderen wird aufgeladen und eingefahren. Die Stoppeln bezieht schon eine Schar der schönen schneeweißen Vögel, deren ehrenvoller Beruf es ist, sich mit Fleiß und Beharrlichkeit allmählich zu Bratgänsen auszubilden.

Dann kommt ein Feld, das eben erst gemäht wird. Während der Zug vorbeigeht, läßt der Schnitter einen Augenblick die Sense ruhen, auch die Binderin, halb gebückt und die Arme voller Halme, hält in der Arbeit inne und blickt nach dem Zuge hin. Aber am lustigsten sieht es doch auf dem Rübenfelde aus, wenn die ganze lange Reihe der hackenden Frauen beim Nahen des Zuges sich aufrichtet und, eine kurze Pause machend, den Zug anstarrt. Sieht man ihnen nach, so kann man noch bemerken, wie die ganze Reihe wieder mit geschwungenen Hacken vornüberfällt.

Ein anderes Feld wird schon wieder gepflügt. Kommt der
Ackerer mit dem Gespann in die Nähe der Bahn, während gerade ein Zug herantost, so hält er seine Tiere an. Sie erschrecken leicht vor dem vorüberfausenden Ungetüm. Sieh, da
werden zwei Pferde scheu, die vor eine Egge gespannt sind.
Die Egge hinter sich hin und her schleudernd stürmen sie über
das Feld davon, eine mächtige Staubwolke erregend. Der
Knecht steht da und kratzt sich zunächst den Kopf, dann läuft
er ihnen nach. Und während man noch darüber nachdenkt,
wie das wohl enden wird, ist rechts und links schon stiller
Wald.

Ein Dorf folgt dem andern. Die meisten bleiben weit im
Hintergrunde liegen. Man sieht aus dem Grün, das sie um-
gibt, nur den Kirchturm und hier und da ein Dach ragen.
Manchmal aber tritt auch ein Dorf so nahe an die Bahn, daß
man hineinsehen kann zwischen die Häuser und die Gemüse-
gärten mit Kohl und Rüben, mit den Blütenkugeln der Zwiebeln
und den Vierecken der Stangenbohnen. Zwischen den Obst-
bäumen sind Leinen ausgespannt, an denen kleine Hemden und
bunte Strümpfchen hängen. Auf den Dächern in ihren Nestern
stehen die Störche. Vor den Türen der Häuser spielen die
Kinder und Kätzchen. Man sieht auf den kleinen Kirchhof mit
den aus dem Grün hervorglänzenden weißen Steinen, auf dem
ein Geschlecht nach dem andern nach arbeitsamem, engumfriedetem
Leben sich zur Ruhe legt.

Wie hübsch ist der kleine Weiher, von Weidengebüsch umgeben und ganz bedeckt mit weißen Wasserrosen. Darüber
schweben die schimmernden Libellen, die man sich vorstellt, da
man sie von der Bahn aus nicht sehen kann. Die weißen
Schmetterlinge aber, die über den Blumen der Grabenränder und
Raine spielen, die sieht man.

Das Fließ, das zwischen Kopfweiden hingeht, von denen der Ruf der Goldammer schallt, oder zwischen dichtem Erlengebüsch, das es verdeckt — wie lockt es, ihm nachzugehen, weit, weit, im Schatten zu ruhen und wonnige Kühlung zu atmen! Welche mächtigen Gewächse erheben ihre weißen Dolden aus dem Grase des Ufers, untermischt mit den roten Blütenähren des Weiderichs!

Dann Kiefernwald, sonnendurchglänzt, und immer wieder Kiefernwald! Man glaubt den würzigen Duft zu spüren, den die Nadeln im heißen Sonnenschein ausatmen. Ab und zu öffnet sich gegen die Bahn hin ein durch den Wald führender breiter, sandiger Landweg; als Staffage darauf erscheint eine Frau, die Reisig trägt, oder ein alter Landbriefträger, der den gewohnten Weg durch den Sand stapft.

Vornehmer sieht die Chaussee aus, auf beiden Seiten mit Ebereschenbäumchen bepflanzt, deren Beerenbüschel im Herbst so prachtvoll korallenrot glänzen. Zuweilen fährt man durch eine unsäglich magere Heide. Aber in das Grau des Bodens hat die Natur wie mit amarantroter Wolle die entzückenden Blumenkissen des wilden Thymians hineingestickt. Eine Schafherde weidet auf dem dürren Grunde. Bei dem Nahen des Zuges fließt sie auseinander, der Hund hinter ihr her, die bangen Tiere wegen ihrer Ängstlichkeit scheltend und schmähend. Nachdenklich sieht der Hirt dem Zuge nach. Denkt er an die Ferne, an märchenhafte Paläste und Gärten, an Feen von zauberischer Schönheit, oder schweben ihm Kartoffeln mit Speck, welche die nahende Stunde der Mahlzeit verheißt, vor Augen?

Viel Vergnügen machen mir die Bahnwärterhäuschen mit ihren Gärtchen. Die kleinen Gärten sind untereinander sehr verschieden. Der eine Bahnwärter gibt mehr auf das Nützliche und hat den ganzen Boden mit Gemüse bestellt, der andere bepflanzt wenigstens einen Teil mit Blumen. Die Blumen sind auch verschiedener Art an den verschiedenen Häuschen. Hier sieht man nur Bauerblumen, wie Rittersporn, brennende Liebe, Ringelblume, Mohn, Eisenhut und anderes der Art; dort macht die Nähe der Stadt sich durch vornehmere, vom Gärtner bezogene Gewächse bemerkbar. Die meisten Häuschen sind von Efeu überrankt. Das sieht nicht nur hübsch aus, sondern ist auch nützlich, denn der Efeu hält trocken und warm, wie man jetzt weiß, und dem Gemäuer fügt er keinen Schaden zu, sondern hält es unter Umständen zusammen.

Etwas anderes, was mich anzieht, ist die Pflanzenwelt, die sich auf den Bahndämmen ansiedelt und sie manchmal ganz in Besitz nimmt. In der Umgegend von Berlin hat die gelbe Nachtviole sich nicht nur der Dämme, sondern des Bahn= terrains überhaupt bemächtigt. Wo die Bahn durch Heide geht, legt sich bald das Heidekraut wie ein dichter Teppich über die Dämme.

Aber nicht nur zu sehen ist auf der Bahn manches, sondern einiges auch zu hören. Manchmal schallt ein Vogelschlag in den Bahnwagen hinein, oder man hört eine Sense schärfen. Auch das Rauschen des Windes im Schilf oder im Eichen= und Eschenbaum hört man zuweilen. Und o was ist das? Ein Lachen wie von Kindermund. Richtig, da steht oben auf dem Rande der Böschung eine ganze Reihe, flachshaarig, in bunten Röckchen und barfuß und jubelt den vorbeifahrenden Zug an. Ein Augenblick nur, und das niedliche Bild ist verschwunden.

Schönheitsmittel

Willst du, was schön macht, wissen?
Das weiß ich ganz genau:
Wer schön sein will, muß baden
Sein Angesicht im Tau.

Im Tau der Morgenfrühe
Schweigend und ungesehn.
Das weiß ich von den Rosen,
Die sind davon so schön.

Augentrost

Tausend Blumen auf der Heide
Glänzen jetzt und auf dem Rain,
Angetan mit buntem Kleide
Lachen sie im Sonnenschein,
Von der linden Luft umkost.
Meine Blum' heißt Augentrost.

Einfach ist sie und bescheiden,
Eine kleine Blume bloß,
Doch ich mag sie lieber leiden
Als so manche stolz und groß,
Weil nun einmal sie mir so
Wuchs ans Herz und macht' mich froh.

Andern mögen andre taugen,
Mir gefällt ihr schlichtes Blühn,
Wenn sie wie mit Kinderaugen
Zu mir aufblickt aus dem Grün.
Ins Gesichtchen ihr zu sehn,
Bleib' ich oft vergnüglich stehn.

Tau und Regen woll' erquicken
Meine Blume für und für,
Sonne freundlich auf sie blicken,
Traute Vöglein, singet ihr!
Und wenn Wind und Wetter tost,
Schütz mir Gott den Augentrost.

Die Auster

Ein Märchen

Der Zwergkönig Kruppunder hatte zur Feier des Tages, an dem er auf eine glorreiche fünfhundertjährige Regierung zurücksah, von der Fürstin Flundra als Ehrengabe eine Auster geschenkt bekommen. Der Sendung war ein langes Schriftstück beigegeben, das außer vielen herzlichen Glückwünschen die Bemerkung enthielt, daß die Auster das köstlichste Wildbret des Salzwassers sei. Darum — so hieß es in dem Schreiben — achten die Menschen, die sonst sehr töricht, in der Schätzung dessen aber, was da gut schmeckt, nur zu gewitzt sind, die Auster über alles hoch und bezahlen sie teurer als irgendeinen seltenen Fisch oder Vogel. Am Schluß war gesagt, der erhabene Kruppunder möge nun zusammen mit seiner allerholdesten Gemahlin, der Königin Wurzelinde, sowie mit Hinzuziehung der Angesehensten und Würdigsten seines Hofes, sotanen Leckerbissen sich wohlschmecken und wohlbekommen lassen. An edlen Getränken, wie sie allein zur Gesellschaft für eine so vornehme Speise sich eigneten, werde es ja wohl in den königlichen Kellereien nicht fehlen.

Auf einem mit zwanzig Seepferdchen bespannten Lastwagen war die Auster bis vor den Eingang der Höhle gefahren worden, in der Kruppunder seine Residenz hatte. Da war sie abgeladen worden, und die Begleitung des Wagens, nachdem sie das Schreiben abgegeben und ein reichliches Botenbrot empfangen, hatte sich vergnügt auf den Rückweg gemacht.

Da lag nun die Auster, festgeschlossen und von außen nicht eben sehr lecker anzusehen, und um sie herum stand der König mit seinen getreuen Räten. Keiner wußte, was nun anfangen mit dem Ungeheuer. Daß ein eßbares Tier in dem steinernen Schalenhause verborgen war, sagte man sich wohl, wie aber war demselben beizukommen? Es war nicht anzunehmen, daß es auf bloßes Zureden die Schalen voneinander= tun würde, denn es konnte sich unmöglich Gutes davon ver= sprechen. Offenbar mußte man mit Gewalt vorgehen. Einer hielt es für das beste, über der Auster ein Hammerwerk zu erbauen und dann von oben her durch einen furchtbaren Schlag ihr Gehäuse zu zerschmettern, also dasselbe Mittel anzuwenden, durch das man schon vor Jahren einmal eine Haselnuß ge= öffnet hatte. Ein anderer schlug vor, das Gehäuse auseinander zu sprengen, indem man in die Schale Löcher bohrte, diese mit Pulver füllte und dasselbe anzündete. Beide Vorschläge wurden verworfen aus der Erwägung, daß bei Anwendung einer so starken Gewalt gar leicht nicht nur das Schalengehäuse zer= brochen, sondern zugleich auch der eßbare Inhalt desselben gänzlich zermalmt und in eine nicht mehr den Appetit reizende Masse verwandelt werden könnte, wie es ja damals auch mit der berühmten Haselnuß ergangen wäre. Das Sprengen aber wäre noch gefährlicher als das Zertrümmern mittels des Hammers, weil die umherfliegenden Sprengstücke große Zerstörungen an= richten und sogar das Leben der Umwohnenden gefährden könnten.

Der königliche Koch, der mit zu der Beratung hinzu= gezogen war, wußte nichts Besseres zu tun, als die Achseln zu zucken und sich den Kopf zu kratzen. Vielleicht, meinte er,

8*

sei es das Gescheiteste, das Tier in und mit der Schale zu sieden, wie man es bei den kleinen Schnecken täte; wer aber hätte einen Fischkessel, der groß genug dazu wäre? Übrigens sei das Schlachten großer Tiere nicht seine Sache, sondern käme andern zu. Diese möchten auch diesmal das Ihrige tun. Wenn dann das Fleisch ausgeschlachtet in die Hofküche käme, wollte er es schon kochen, braten, schmoren, spicken, farcieren und solche Saucen dazu machen, daß jedermann, der überhaupt einen feinen Geschmack habe, damit zufrieden sein solle.

Während also beraten wurde, hatte sich auch ziemlich viel Volk angesammelt, und alles bestaunte das Meerwunder. Da dieses sich nicht rührte und regte, sondern ganz still sich verhielt, wuchs den Leuten, die anfangs sehr schüchtern und vorsichtig gewesen waren, der Mut. Einige klopften mit ihren kleinen Hämmern ganz keck auf dem Schalenrande herum; andere hielten ein Ohr an den Spalt zwischen den Schalen und versicherten, daß sie deutlich ein unheimliches Brummen, Grollen und Grummeln aus dem Innern herausschallen hörten. Zuletzt wurden einige so übermütig, daß sie auf das Ungeheuer hinaufkletterten und auf ihm umhersprangen. Als aber der König das sah, wurde er unwillig und befahl, daß alle von der Auster heruntersteigen sollten. Überhaupt sollte männiglich ein paar hundert Schritte weit von ihr zurücktreten, denn niemand wüßte, was geschehen könne. Vielleicht öffnete das reißende Meertier plötzlich seine Schalen, käme herausgesprungen und verschlänge, was gerade in seiner Nähe sei. Dafür wolle er nicht die Verantwortung tragen, deshalb gebiete er allen, sich von dem Untier, dem jedenfalls nicht zu trauen sei, in eine Sicherheit gewährende Entfernung zurückzuziehen. Also geschah es.

Es war aber am Hofe des Königs Kruppunder ein sehr kluger und erfindungsreicher Mann namens Spintifex, der als

Maschinenmeister bereits Tüchtiges geleistet hatte. Von ihm rührte die Blaubeerkelter her, die nachher allgemein eingeführt wurde, und der vielbewunderte Mohnsamenspalter. Er hatte auch die nach ihm benannte Raupenfalle erfunden und ein sehr zweckmäßiges Ameiseneisen, mit dem er einen von dem Könige ausgesetzten Preis gewann. Dieser nun machte sich anheischig, in fünf Tagen eine Maschine zum Öffnen der Auster zu erbauen. Zwar hatte er sich vorher an so große Dinge noch nicht gewagt, er war aber guten Mutes und nach= dem der König auf sein Anerbieten eingegangen war und sie alles beredet hatten, machte er sich ans Werk und brachte richtig in fünf Tagen eine Vorrichtung zustande, von der er sich den gewünschten Erfolg versprach. Das Ganze ging darauf hinaus, daß mit Anwendung von zweihundertfünfzig Mäusekräften ein starker, eiserner Keil zwischen die beiden Schalen der Auster getrieben werden sollte; in dem Geschick aber, mit dem er diese ungeheure Kraft anbrachte und wirken ließ, zeigte sich die ganze Kunst des Erfinders.

Die Aufregung am Hofe und im Volke war groß, und man sprach von nichts anderem als von Spintifex und seiner Austeröffnungsmaschine. Man hörte sehr verschiedene Urteile darüber. Diejenigen, die viel von ihm hielten und ihm wohl= wollten, waren davon überzeugt, daß er alles aufs beste zu= stande bringen würde, und dann würde er ja wohl zum Hof= maschinenmeister ernannt werden. Andere aber, die ihn um seinen Ruhm beneideten, sagten voraus, daß alles schief gehen werde. Dann sei natürlich seines Bleibens am Hofe nicht länger, und er könnte noch froh sein, wenn er nicht ins Ge= fängnis gesetzt würde.

Der große Tag, an dem die Maschine ihre Probe bestehen sollte, kam heran. Spintifex verteilte seine Leute und ordnete

alles an, was er für nötig hielt. Rings um die Auster herum
stellte er auf erhöhten Standorten eine große Anzahl von
Speerschützen auf. Diese sollten, sowie die Auster sich auftäte
und ihre Schalen auseinanderklappte, mit Speeren nach ihr
werfen und sie erlegen, ehe sie Zeit hätte, herauszuspringen.
Für den König war ein Thron errichtet, von dem er alles
bequem sehen könnte, ohne dabei in Gefahr zu geraten — so
meinte Spintifex wenigstens; die andern konnten sich hinstellen,
wo sie wollten, vorausgesetzt, daß sie die zum Schutz der
Zuschauer gezogenen Schranken nicht überschritten. Der Zu=
drang war gewaltig.

Um die bestimmte Stunde gab der König das Zeichen,
daß die Sache vor sich gehen sollte. Sofort erteilte Spintifex
der Bedienungsmannschaft die nötigen Befehle, und die Maschine
fing an zu wirken. Es vergingen einige Minuten, während
welcher man eine Mücke husten und die Marienkäferchen lachen
hören konnte. Dann erfolgte ein furchtbarer Knall, und im
Augenblick darauf lag das Ungetüm mit aufgeklappten Schalen
da. Kaum war das geschehen, so warfen auch die sämtlichen
Schützen schon ihre Speere, und die meisten verfehlten ihr
Ziel nicht.

Als der große Krach erfolgte, flüchteten alle Zuschauer von
ihren Plätzen und verkrochen sich unter das Farnkraut oder
suchten Schutz hinter Steinen. Auch der König verließ seinen
Thron und stellte sich hinter denselben; da aber alles ruhig
blieb, gewann er bald seine Fassung wieder und näherte sich
sogar mit Kühnheit dem Ungeheuer, das, gespickt mit einer
Unzahl der aus seinem Waldgrase gefertigten Speere, in einer
Vertiefung seiner unteren Schale dalag.

Was für ein sonderbares Ungeheuer! Es hatte weder Augen
noch einen Mund oder Schnabel, noch auch Füße. Schon

deshalb erschien es wenig gefährlich, aber es war auch gänzlich
regungslos. Offenbar lebte es nicht mehr, durch die Speer-
würfe war es getötet worden. Der König beglückwünschte den
trefflichen Spintifer zum Gelingen seines Werkes und ernannte
ihn auf der Stelle zum Oberhofmaschinenmeister.

Alles drängte sich heran, um das erlegte Ungeheuer anzu-
staunen. Dieses wurde, nachdem die Speere herausgezogen
waren, auf Befehl des Königs in drei gleiche Teile zerlegt.
Die Leute, die das ausführten, hatten, um auf der glatten
Oberfläche des Untieres nicht auszugleiten, Schuhe mit eisernen
Spitzen unter den Hacken angelegt, wie man sie zum Gehen
auf dem Eise gebraucht, die Teilung aber bewerkstelligten sie
mit großen Beilen. Mit den drei Teilen der Auster geschah
folgendes: Das eine Drittel wurde sofort zubereitet und kam
noch an demselben Tage auf die königliche Tafel; das zweite
Drittel wurde sauer eingekocht und in Steintöpfe gefüllt, das
dritte wurde geräuchert.

Der Koch hatte seine Sache sehr gut gemacht. Unter
Zutat von Safran, Ingwer, Basilikum, Ysop, Muskatnuß und
einigen andern Kräutern und Würzen hatte er aus dem einen
Austerdrittel ein Frikassee hergestellt, das für siebenundzwanzig
Personen ausreichte und allen trefflich mundete. Wenigstens
taten alle so, als schmeckte es ihnen herrlich, in der Tat ward
es einigen nicht ganz leicht, die seltene Speise hinabzuwürgen.
Getrunken wurden dazu, außer einem Fäßchen alten Blaubeer-
weins und einem Fäßchen Johannisbeerweins, achtundzwanzig
Flaschen Erdbeerchampagner.

Am andern Tage ging der König zu Rat mit sich, welch
ein Gegengeschenk er wohl der Königin Flundra machen könnte.
Lange sann er umsonst nach, endlich fiel ihm etwas Gescheites
ein. Vor einigen Tagen hatte er auf der Jagd mit seinen

Leuten nach schwerem Kampfe ein sehr wildes und schreckliches Tier erlegt, das die Zwerge Lindwurm, die Menschen aber Maulwurfsgrille nennen. Dies erschlagene Ungeheuer lag noch im Schloßhof, der König aber entschied sich dafür, es ungesäumt der Seefürstin als Gegengabe zu schicken. Denn es ist, sagte er zu sich, unzweifelhaft ein ebenso merkwürdiges Landtier, als die Auster ein Seetier.

Sofort wurde eine Gesandtschaft mit dem toten Lindwurm nach dem Seestrande abgeschickt. Man folgte den noch deutlich erkennbaren Geleisen, die der Lastwagen, auf dem die Auster nach Kruppunderheim gekommen war, in die Erde gefahren hatte. Der Weg ging über den Pimpinellenpaß und Quadurendorf. Zwischen Zaunkönigshausen und dem Ort, der „die drei Glocken" genannt wird, mußte ein großer Umweg durch einen dichten Thymianwald gemacht werden, weil eine Ringelnatter die Heerstraße verlegt hatte. Nahe dem Strande geriet man in ein furchtbares Dickicht von sehr stachligem Strauchwerk, das ganz wie aus grünem Glase gebildet zu sein schien, und mehrere von der Gesandtschaft trugen erhebliche Verletzungen davon.

Wo die Wagengeleise sich im feuchten Seesande verliefen, legte man den Lindwurm nieder und kehrte um. Als man sieben Tage darauf wieder nachsah, war das Untier verschwunden. Ohne Zweifel hatte die Fürstin es durch ihre Leute abholen lassen.

Stille

O Einsamkeit, du traute,
Die mich umfangen hält,
Wie liegt so fern die laute,
Die friedelose Welt!
Die Augen kann ich schließen
Vor allem, was da stört,
Die Ruhe ganz genießen,
Nach der ich lang begehrt.

Nichts regt sich in den Zweigen,
Nichts regt sich auf der Flut.
O schaurig süßes Schweigen,
Du tust der Seele gut.
Ihr ist, als könnt sie schweben,
Befreit von Last und Not;
Ich weiß nicht, ist es Leben?
Ich weiß nicht, ist es Tod?

Nun in des Himmels Ferne
Blinkt auf ein goldner Kranz.
Wie friedlich seid ihr, Sterne,
Wie still ist euer Glanz!
Mir klingen alte Lieder,
Die einstmals mich beglückt,
Mir ist, als würd' ich wieder
Ans Mutterherz gedrückt.

Die heißen Tage

Um die Mitte des Sommers kommen die heißen Tage, die nicht jedermann gefallen. Um diese Zeit gehen die großen Staatsmänner gern der Erholung wegen in die Bäder, und daran tun sie nicht übel. Denn das beständige Nachdenken über die Beglückung der Völker macht mit der Zeit so verworren im Kopf, daß man kaum mehr Recht von Unrecht unterscheiden kann, und das ist doch für einen Staatsmann ein großes Unglück.

In den heißen Julitagen pflegt das öffentliche Leben an einiger Schläfrigkeit zu leiden; eine Ausnahme bilden jedoch die Steuererheber und die Fliegen. Letztere sind in der heißesten Zeit am muntersten. Wer eine schöne, große Nase besitzt, braucht nicht erst Zucker darauf zu streuen, um die lieben Tierlein zum Niedersetzen einzuladen; sie kommen schon von selber, besonders nachmittags zwischen zwei und vier. Wer sie einmal wegjagt, darf auch nicht darum besorgt sein, daß sie nicht wiederkommen werden; sie pflegen wenigstens noch ein dutzendmal zurückzukehren, um nach dem Befinden zu fragen.

Es ist dies aber eine böse Zeit für die Zeitungsschreiber. Da in Marokko, Persien und China der großen Hitze wegen nichts Bemerkenswertes vorfällt, so müssen sie sich entweder auf einheimische Zustände werfen — und das ist sehr mißlich, weil sotane Schreiber in einheimischen Dingen besonders schlecht beschlagen zu sein pflegen — oder sie müssen alte Geschichten von der Seeschlange, von den Gebräuchen der Botokuden und ähnliches erzählen, was wieder den Lesern nicht lieb ist. Es ist daher ratsam für jedermann, sich in diesen Tagen des Lesens und — soweit es möglich — auch des Schreibens zu enthalten; denn es bringt beides wenig Nutzen.

Am Erntetag

Manchen Tag erklang
Über der Saat der Lerchen Sang.
Reif und golden erglänzt sie schon,
Mit Kornblumen durchwirkt und Mohn.
Wenn die schimmernden Ähren sanken,
Was ist schöner, als Gott zu danken!

Alpen-Enzian

In leichten Lüften hoch überm Tal
Küßt mich der Sonne goldener Strahl.
Der kalte Schnee und das reine Licht
Machen so leuchtend mein Angesicht.

Spinnenzeit

Wo kommen alle die Spinnen im Herbst her? Es läßt sich nicht sagen, wieviel jetzt gesponnen wird. Man muß hinausgehen ins Freie, ehe der Tau von der Sonne fortgenommen ist, und dazu braucht man schon nicht gar zu frühe mehr aufzustehen. Dann erglänzen alle die sonst unsichtbaren Gespinste in den Gesträuchen und am Boden wie zartes, blinkendes Schleiergewebe. Andere Spinnen arbeiten im Walde und spannen zwischen den Stämmen die Leinen, an denen Elfchen ihre Wäsche aufhängen können. Viele der feinen Gewebe und oft die Künstlerinnen selbst, die sie angefertigt haben, nimmt man wider Willen beim Wandern mit dem Hut mit. Wenn sie Stimmen hätten, würde man im stillen Walde viele Rufe des Unwillens über die Zerstörungen, die man anrichtet, zu hören bekommen.

Im Hause lauern die langbeinigen sogenannten Weberknechte, die in der Frauenwelt sehr gefürchtet werden, obgleich sie ganz harmlos sind. Anfangs verhalten sie sich dem Menschen gegenüber abwartend, wenn sie sich aber von ihm bedroht fühlen, reißen sie aus, so rasch sie mit ihren langen, dünnen Beinen es vermögen. Bei unsanfter Berührung aber geht ihnen leicht eines oder das andere ihrer Beine, die nicht sehr fest am Körper sitzen, verloren. Andere, zur Kreuzspinnenart gehörend, legen ihre Gewebe in den Gardinen an, was unsere Haus-

frauen nicht gern sehen. Man pflegte in früherer Zeit aller=
hand wunderliche juristische Fragen aufzustellen. Eine Frage
solcher Art, wie ich im Sinne habe, wäre es, ob die Spinnen
berechtigt sind, ihre Wohnungen in den Gardinen aufzuschlagen.
Diese Frage möchte ich, obwohl ich kein Jurist bin, beantworten,
und zwar mit ja. Zunächst fügen die Spinnen den Gardinen
keinen Schaden zu, weil sie nicht rauchen. Sie bilden aber
durch ihre schöne Gestalt eine treffliche Gardinenzier. Ferner
nützen sie dadurch, daß sie die den Menschen lästigen Fliegen
und Mücken wegfangen. Endlich ist es ein artiges und be=
lehrendes Schauspiel, zu sehen, mit wieviel List und Geschick
sie sich ihrer Beute bemächtigen. Ein Pedant wird mir frei=
lich einwerfen, daß Kinder dadurch zur Grausamkeit angeleitet
werden, ich entgegne ihm aber: die Kinder denken sich nichts
dabei.

Die offene Tafel

Es hat am Sonnabend sein Feld
Ein Bauersmann mit Fleiß bestellt,
Ist doch nicht ganz ans Ziel gekommen
Mit dem, was er sich vorgenommen.
Es ist im Herbst, kurz schon der Tag;
Als er eingesäet noch einen Schlag,
Gebricht zum Eggen ihm die Zeit.
Nun liegt das Saatkorn, das er gestreut,
Soweit der Acker sich erstreckt,
Den Sonntag über unzugedeckt,
Sonntagstisch für die Vögelein,
Die als Gäste sich stellen ein.
Der Bauer spricht: „Bis Montag morgen
Kann ich dafür nicht weiter sorgen.
Indessen wie alles andre ruht
Mein Feld auch in des Himmels Hut.
Kommen die Vögel, muß ich's leiden,
Sind wohl nicht gar zu unbescheiden,
So daß für mich genug noch bleibt,
Was Wurzel schlägt und Halme treibt
Und reift in heißen Sommertagen,
Dafür ich genug hab Dank zu sagen."

Die Glocken

Es ist ein Ort im Mecklenburger Gau,
Am Rande weit sich breitenden Gewässers,
Das Wald umkränzt, anmutig liegt er da.
So mancher, glaub' ich, der im Süden Deutschlands
Zu Hause ist und an des Rheines Ufer,
Der stellt sich unsern deutschen Norden vor
Als eine gar trostlose Wüstenei.
So einen hab' ich oft herbeigewünscht,
Um mit verbundnen Augen ihn zu führen
An eine Stelle, die mir wohlbekannt.
Dort von den Augen löst' ich ihm das Tuch
Und spräche: Sieh, und rate, wo du bist!
Auf eine Wüste riet' er sicher nicht,
Denn reizgeschmückt müßt' ihm das Land erscheinen.
Da reiht ein See sich an den andern an,
Klar wie Kristall, blau schimmernd oder grün,
Und zwischen See und See erheben sich
Anhöhen, die mit lust'gem Wald bestanden.
In einer solchen Landschaft liegt der Ort,
Von dem ich sprach und weiter reden will.
Ich kam dorthin im Herbst das Land durchwandernd,
Und freundlich nahm ein Bürger dort mich auf,
Dem ich empfohlen war durch guten Mund.
Der führte durch die Gegend mich umher,
Um mir zu zeigen, was ihm selber lieb war.
Mein Führer war ein alter wackrer Mann,
Der lange Jahre schon des Richters Amt

Verwaltet hatte an dem kleinen Ort —
Doch jung erschien er troß des grauen Haares.
Wie schritt er rüstig neben mir dahin
Durch Wald und Heide, über stein'ge Halden
Und über frischgepflügten Acker gar
Viel Stunden lang, stets munter und gesprächig!
Da wies er mir so manchen schönen Blick,
Das Beste aber spart' er bis zuletzt.
Auf langem Wege führt' er durch den Wald mich, .
Bergab zuerst und wieder dann bergan.
Allmählich ward es uns zur Linken lichter,
Und endlich traten wir hinaus ins Freie.
Auf steilen Abhangs Höhe standen wir,
Und unter uns gebreitet lag der See.
Ein schöner Spiegel war's des blauen Himmels,
Und an dem Ufer drüben schaute freundlich
Aus Baumesgrün der kleine Ort hervor:
Das Amt mit seinen stattlichen Gebäuden,
Zur Seite dann auf einem kleinen Hügel
Die Kirche mit ansehnlich hohem Turm,
Und um sie her, wie Küchlein um die Henne
Versammelt, was sonst noch an Häusern war.
Es war ein Bild, so reizend und entzückend,
Daß lang' ich dastand ganz darin versunken.
Den Alten freut' es, mich erfreut zu sehn,
Und so zu mir sprach er nach einer Weile:
„An dieser Stelle fällt mir etwas ein,
Das ich vor einem Jahre hier erlebt.
Sehr einfach ist's, doch ich erzähl' es gern —
Vielleicht nicht ungern hört auch Ihr es an.
Mit mehreren von unten aus dem Ort

Hatt' einen Fremden ich hierhergeführt,
Der nie vorher gesehen unser Land,
Und freudig war er überrascht, wie Ihr
Es heute seid, von dieses Bildes Anmut.
Als nun hier oben wir beisammenstanden
Und unsern Gast auf dieses und auf jenes
Aufmerksam machten, das zu schauen war,
Da hörten wir die Glocken drüben gehn,
Und alle wurden wir auf einmal still,
Ganz still — und weiter drauf begab sich dies:
Es stürzten uns die Tränen aus den Augen,
Uns Männern allen, nur dem Fremden nicht.
Wohl zu bezwingen uns versuchten wir —
Denn nicht für Männer schickt es sich zu weinen,
Am wenigsten, wenn es ein Fremder sieht —
Doch nicht gelang es uns, zurückzuhalten
Die Tränen, die vom Herzen her gewaltsam
Sich zu den Augen drängten, und wir ließen
Durch Not gezwungen ihnen freien Lauf.
Der Fremde war erstaunt, verlegen fast
Sah er uns an der Reihe nach und wußte
So recht nicht, was dazu er sagen sollte.
Als endlich einer sich von uns so weit
Beruhigt hatte, daß er reden konnte,
Nahm er das Wort und sprach zu jenem dies:
Ihr wundert, Fremder, Euch und tut's mit Recht,
Daß ihr uns Männer weinen seht vor Euch,
Doch bei Euch selber denkt ihr wohl, was uns
So tief bewegte, daß vor Euern Augen
Es plötzlich uns zu Kindern hat gemacht,
Müßt' etwas sein, das mit dem Glockenklang

Trojan, Für gewöhnliche Leute   9

Zusammenhängt und mit dem Orte drüben.
So ist es auch, und was es ist, vernehmt!
Vor Jahren schlug der Blitz in unsre Kirche,
Und ganz vom Feuer wurde sie zerstört.
Seitdem war Schweigen über unsern Dächern,
Nicht klangen mehr die Glocken, welche sonst
Zur Arbeit uns und zum Gebete riefen.
Wie haben wir so oft zurückgesehnt
Die lieben Klänge, die verschollen waren!
Sie riefen nicht den Schnitter mehr nach Hause,
Dem einst so lieblich ihre Stimme dünkte,
Wenn er vollbracht sein heißes Tagewerk.
Stumm war die Nacht dem Kranken, welcher sonst
Gewohnt zu zählen war die Glockenschläge,
Wenn er in Schmerzen auf den Morgen harrte.
Indessen ward aufs neu erbaut die Kirche,
Und endlich hingen auch im Turmgebälk
Die Glocken wieder — erst vor wenig Tagen
Sind sie hineingehängt, und eben jetzt
Erklangen sie zum ersten Male wieder.
Bei diesem Schalle fiel uns alles ein,
Was einst die Glocken uns ins Herz geklungen
An dieser Statt seit unsrer Kinderzeit:
Wie sie uns angesagt so manche Stunde
In Freud und Leid, in Sorgen und in Glück;
Wie sie geladen uns ins Gotteshaus
An manchem Tag, da unsre Kindlein wir
Dorthin, die zarten, an den Taufstein trugen,
An manchem Tag auch, da wir jung' und alte,
Zum Friedhof trugen, bettend sie zur Ruh;
Wie oft der Glockenklang zum Danken rief,

Wenn in den Scheunen lag der Ernte Segen;
Wie er in schweren Tagen manchesmal
Eindringlich uns geredet in die Seele,
Und wie er Sieg und Frieden uns verfündet.
Ja, alles dies kam und noch vieles mehr,
Woran der Schall der Glocken uns gemahnte,
Als nun vorüber war das lange Schweigen,
Uns übers Herz: das Leben und der Tod. —
So sprach von uns der eine zu dem Fremden —
Als der es hörte, war auch er bewegt.

Der Wunderbaum

Es ist ein ungeheurer Baum,
Der ragt hinein in den Himmelsraum.

Und immer wenn es zum Winter geht,
Der Baum voll weißer Blüten steht.

Die Blüten wirft der Wind herab,
Zu Millionen fallen sie ab.

Sie fallen ab um die Winterszeit
Und decken die Erde weit und breit.

So geht es, bis der Winter flieht,
Dann hat der Baum sich ausgeblüht.

9 *

132

Nur einzelne Blüten, wenige nur,
Fallen noch auf die grünende Flur.

Die müssen zergehn im Sonnenschein.
Was mögen das wohl für Blüten sein?

Kleinigkeiten

Es ist auffallend, daß in alten deutschen Liedern ebensowenig von der deutschen Freiheit als von dem Deutschsein,
wie von einem besonderen Vorzug, die Rede ist. Daß ein
Deutscher deutsch ist, scheinen unsere Voreltern für selbstverständlich gehalten zu haben. Von der deutschen Freiheit konnten
sie sich vielleicht noch keinen klaren Begriff machen, oder auch
es mag ihnen, was sie als deutsche Freiheit kannten, gleichfalls
zu selbstverständlich erschienen sein, als daß es besungen werden
müsse. Jetzt aber kann kein Deutscher beim Glase ein Lied
singen, ohne darin aufs ausdrücklichste zu versichern, daß er
sich „deutsch und groß“ fühle und daß er ohne die deutsche
Freiheit durchaus nicht leben könne. Möchte doch eine Zeit
kommen, in der wieder weniger auf die Deutschheit und auf
die deutsche Freiheit getrunken wird. Sie scheinen beide dar=
unter zu leiden.

Einer übergroßen Höflichkeit merkt man es leicht an, daß
sie nicht von Herzen kommt; aber auch hinter der kernigsten
Grobheit steckt oft nichts als Lüge. Ein kräftiger Fluch kommt
so leicht auf die Lippen als eine Schmeichelei, wenn einer nicht
weiß, was er sagen soll, oder nicht sagen will, was er denkt.
— Es fragt sich, wer unausstehlicher ist, der Schmeichler oder
der Grobian.

Wer so sehr darauf pocht, daß die gerechte Sache durchaus siegen müsse, der frage sein Gewissen, ob er selbst, wenn
er die Sache des Unrechts führte, immer besiegt wurde. Ge-
rechtigkeit siegt wohl, aber die Abrechnung erfolgt in großen
Zwischenräumen.

Wo Ordnung in der Wirtschaft herrschen soll, muß Einnahme befehlen und Ausgabe sich nach ihr richten. Man kann
mit vielem und mit wenigem leben; es soll einer nicht sagen:
Soviel muß ich haben, um leben zu können — sondern er
soll sagen: Soviel habe ich und damit muß ich leben können.
Nur wer so spricht, der kommt auch dazu, daß er etwas zurück-
legt. Wo aber die Ausgabe der Einnahme voranläuft, da
wird Einnahme bald atemlos; wie sehr sie sich auch anstrengt,
sie kann die vorauslaufende nicht wieder einholen, und die Entfernung zwischen beiden wird immer größer.

Es ist nicht gut, daß, wer etwas vor hat, von vornherein
auf allerlei Umstände Rücksicht nehme und sich ihnen anbequeme.
Er wage es lieber, sein Ziel so hoch er kann zu stellen; was
ihn herunterzieht, wird von selbst schon kommen. Wer aber
aus vollem Herzen und mit ganzer Kraft etwas erstrebt, der
wird mitunter erfahren, daß die Umstände sich i h m anbequemen.

Erster Spatz. Denke dir, was die Sänger mitunter für
Glück haben! Die Nachtigall hat bereits die Aufmerksamkeit
des Adlers erregt. Neulich ist sie bei Hof mit zu Tische gewesen.
Zweiter Spatz. Ei der Tausend! Was gab es?
Erster Spatz. Nachtigall gab es. Sie haben sie auf-
gefressen.

Festliches

Die Weihnachtsrose

Eh die Lerche sang
Ist sie wach schon lang,
In der schweigenden Welt,
Die der Winter umfangen hält,
Hebt sie einsam ihr zartes Haupt.
Selber geht sie dahin und schwindet,
Ehe der Lenz kommt und sie findet,
Aber sie hat ihn doch verkündet,
Als noch keiner an ihn geglaubt.

Weihnachten

Die Engelskunde lieblich schallt
Herab zur dunkeln Welt,
Da wird von vielen Lichtern bald
Die Finsternis erhellt.

Was für ein Schimmer nah und fern,
Welch wunderbar Erglühn!
Vom Himmel nieder Stern an Stern
Fällt auf der Tannen Grün.

Und Stern an Stern im Baumgeäst,
Es winkt und lockt heran;

Doch heller noch blickt dich das Fest
Aus Menschenaugen an.

Aus Augen groß und rein und licht,
Wie Kindesaugen sind —
Und eines Engels Stimme spricht:
Komm und sei auch ein Kind!

Die kleine Tanne

Vor mir steht ein Tannenbaum,
Ist so klein, man sieht ihn kaum,
Lange noch nicht eine Spanne
Mißt sie, diese kleine Tanne.
Aber fest steht eines, wißt es:
Eine echte Tanne ist es,
Eine Tanne, wie der Wald
Zählt so viele, jung und alt.

Einen Zapfen aus dem Walde
Trug ich heim von Bergeshalde;
Als ich ihn gebracht ins Haus,
Sprang aus ihm ein Korn heraus.
Dieses Korn, so zart und klein,
Pflanzt' ich in den Boden ein.
Aus dem Korn nach wenig Wochen
Ist ein Keim hervorgebrochen,
Angelockt vom Sonnenstrahle.
Anfangs trug des Kornes Schale
Auf dem Haupt er wie ein Mützchen
Über sieben grünen Spitzchen,

Dann — es war im Monat Mai —
Ward es von der Hülle frei.
Seit der Zeit ein kleiner Stamm
Steht er da gar wundersam,
Kleiner Müh zu reichem Lohne:
Sieben Nadeln sind die Krone,
Sieben Nadeln, fein und zart —
Welch ein Baum besondrer Art!
Seh' ich mir das Tännlein an,
Denk' ich, was draus werden kann:
Ein gewalt'ger Tannenbaum,
Wachsend in den Himmelsraum,
Weithin sein Gezweige breitend,
Manchem Vogel Schutz bereitend,
Der auf ihn sich niederläßt
Und im Grünen baut sein Nest.
Aber nein, nicht also weit
Schau' ich aus in ferne Zeit!
Wenn ich nur mit treuer Pflege
Mir ein Weihnachtsbäumchen zöge,
Das da, niedlich anzusehn,
Kann auf einem Tische stehn.
Ach, auch das — wohl säh' ich's gerne —
Liegt noch in so weiter Ferne.
Mir und auch dem Baum so viel
Droht noch, bis erreicht dies Ziel.
Besser ist's, ich wünsch' nur eines:
Daß wir zwei, ich und mein kleines
Tännlein, frisch und fröhlich sind,
Wenn aufs neu weht Frühlingswind,
Wenn die Bäche wieder springen,

Überm Felde Lerchen singen,
Wenn die Schlüsselblumen blühn
Und der Wald sich schmückt mit Grün.
Bis dahin — froh sei's bekannt —
Stehn wir zwei in guter Hand.

Wer tut es?

Die Bäume fangen an zu wandern,
Das muß wohl Weihnachtszauber sein;
Ein Tannenbäumchen nach dem andern
Kam in das große Haus herein.

Das hab' ich staunend wahrgenommen
Und hab die Bäumchen all gezählt.
Ich weiß, wieviel ins Haus gekommen,
Und weiß, daß jetzt noch eines fehlt.

Ja, dieses eine fehlt noch heute,
Obgleich das Fest schon gar so nah.
Ich glaub, doch unterm Dach die Leute,
Für die ist noch kein Bäumchen da.

Doch auf dem Markte steht noch eines —
Ich sah es im Vorübergehn —
Ein Tannenbäumchen, nur ein kleines,
Doch gar nicht übel anzusehn.

Es kann nicht von der Stelle rücken
Und käme gern doch an den Mann.
Wollt' einer kaufen es und schmücken,
Dem sagt' ich, wer es brauchen kann.

Und käm' es dann zum ärmsten Manne,
Wie viele Freude rief' es wach!
Wer kauft und schmückt die kleine Tanne
Und trägt hinauf sie unters Dach?

Der gute Engel

Ein Engel steigt vom Himmel nieder
Zur Erd' herab, von Gott gesandt.
Ein zartes Weiß hüllt seine Glieder,
Ein grüner Zweig schmückt seine Hand.

Den einst die Hirten froh erschrocken
Erblickten in der heil'gen Nacht,
Sein Haupt umfränzen duft'ge Glocken,
Verheißend neuen Lenzes Pracht.

Wo er beglückte Menschen findet,
Bei denen kehrt er fröhlich .ein;
Hell überstrahlt, was er verkündet,
Der Kerzen und der Sterne Schein.

Doch die er weiß in tiefem Leide
Und die er sieht von Schmerz bewegt,
Die sucht zuerst er auf, und Freude,
So heißt die Botschaft, die er trägt.

Was Menschenmund nicht dürfte wagen,
Ist seinem süßen Mund erlaubt,
Er darf: „Seid fröhlich!" zu euch sagen,
Wohlan, erhebt zu ihm das Haupt!

Die Weihnachtspuppe

Nur selten unter einem Weihnachtsbaum
Fehlt eine Puppe. Wo sie aber fehlt,
Ist auch ein kleines Mädchen nicht im Hause,
Und solche Häuser sind beklagenswert.
Zu nett ist doch so ein Geschöpfchen, das
Mit allem, was es an sich hat und um sich,
Hausfräulich waltet schon, so klein es ist!
Gewiß nimmt unterm Tannenbaume gut
Ein Schaukelpferd sich aus und eine Trommel,
Ein Helm und andres Knabenspielzeug mehr,
Doch niemals auch darf eine Puppe fehlen.
Wo nun im Haus ein einzig Mägdlein ist,
Da sitzt am heil'gen Abend unterm Schirm
Des duftigen Gezweiges eine Puppe
Zum mindesten — vielleicht auch sind es zwei.
Es wächst die Zahl der Puppen mit der Zahl
Niedlicher Mädchen, die an einem Herde
Im Lauf der Zeit sich aneinanderreihn
Und noch entwachsen nicht dem Alter sind
Harmlosen Spiels, dem frohen Puppenalter.
Und also kommt es, daß in einem Hause,
Das mädchenreich ist — und ich kenn' ein solches,
In dem ich täglich gehe aus und ein —
Alljährlich unterm Weihnachtsbaum sich sammelt
Ein Puppenvolk, das kaum zu zählen ist.
Wird doch gesorgt nicht nur im Hause selbst,
Daß, was verunglückt ist im Lauf des Jahres
An Puppen — ach, wie leicht zerbrechen sie

Die Köpfe sich, wie leicht verlieren Arme
Und Beine sie — am Christfest wird ersetzt
Durch neue Mannschaft — wenn erlaubt der Ausdruck;
Nein, andre kommen auch von außerhalb
Noch zugereist in Kisten und Paketen,
Entsandt von Tanten, die den Notstand ahnen.
Es bringen manche ihre Betten mit,
Und andre Kochgeschirr und viele Möbel,
Und was noch sonst für einen kleinen Haushalt
Geeignet ist. So ist gesorgt für alles,
Was irgend nur ein puppenliebes Herz
Sich wünschen mag. Groß ist der Jubel dann.

Ich seh' die Puppen gern, wenn sie noch neu
Und schimmernd in dem Glanz der Sauberkeit
Dasitzen und mit ihren blanken Augen
So gar verwundert blicken in die Welt.
Des Ortes muß ich denken, wo ich sah
In zahllos viele solcher Puppenaugen.
Ein Städtchen im Thüringer Walde ist es,
Woher die meisten deutschen Puppen stammen,
Dort in sein Musterlager führte mich
Ein Fabrikant. Was für ein Anblick war es!
Da standen an den Wänden rings in Schränken,
Auf langen Tafeln waren sie geordnet
Und angehäuft in Körben lagen sie;
Viel hundert Puppen, sauber angekleidet.
Von allen Arten gab es Puppen da,
Sehr große, große, klein' und allerkleinste,
Die kleinsten maßen kaum ein Fingerglied.
Sehr schöne gab es, von so zarter Haut

Wie Rosenblätter oder Apfelblüte;
Die waren auf das feinste angezogen
Nach neuster Mode prachtvoll anzuschaun,
Den Damen glichen sie der großen Welt,
Die auch „Gesellschaft" wird bei uns genannt.
Dann waren andre da von derbrer Art,
Einfach und schlicht in ihrem Äußern auch,
Aus bürgerlichem Stand und Bäuerinnen.
Was nun der Augen Farbe anbetrifft,
So wechselten die blauen mit den braunen,
Allein die blauen Augen herrschten vor —
Zeitweise, scheint es, sind sie mehr beliebt.
Daß blau das eine Aug' und braun das andre,
Kommt wohl bei Menschen vor in seltnen Fällen,
Doch nie bei Puppen. Blondes Haar ist auch
Beliebter jetzt als braunes; schwarzes kommt
Und rotes selten vor, soviel ich sah.
Die weiße Rasse herrscht natürlich vor,
Jedoch seit Deutschland auf das Meer sich wagte
Und Kolonien sich erworben hat,
Erscheinen schwarze Puppenfräulein auch,
Bestimmt für Kinder, die in Kamerun
Und andren Gauen von Schwarz=Deutschland leben.
Es war ein eigentümliches Gefühl,
Von so viel Augen angeblickt zu sein,
Die so verwundert all ins Leben starrten,
Und unwillkürlich trat ich leiser auf.
All diese Puppen, sagt' ich zu mir selber,
Obgleich sie offen ihre Augen halten,
Von Schlummer doch sind alle noch befangen.
Den Knospen gleichen sie, die „schlafende"

Der Gärtner nennt — ein schönes Wort, fürwahr!
Noch hat die Welt sich ihnen, noch das Leben
Sich nicht erschlossen; erst am Weihnachtsfest,
Wenn zarte Ärmchen ihrer sich bemächt'gen,
Sie drückend an ein lebhaft pochend Herz,
Beginnt für sie das Leben — und das Leiden.

In diesem Musterlager glaubte endlich
Ich den geheimnisvollen Teich zu sehn,
Aus dem der Puppenstorch — auch solchen gibt es —
Die Weihnachts- und Geburtstagspuppen holt.
An diesen Ort gelangen wen'ge nur,
Nur selten einem Fremden wird erschlossen
Die wunderbare Welt, die ich erschaut.
Der fremde Kaufherr nur geht dort umher —
Ein Sklavenhändler fast erscheint er mir —
Und sieht gemütlos sich die Puppen an.
Nicht seiner Neigung folgt er, wenn vielleicht
Er Blonde lieber hat als Braune, wenn
Kraushaarige er sieht besonders gern;
Kühl und berechnend läßt die Blicke schweifen
Er über alle Arten und erwählt
Diejenigen, die seiner Meinung nach
Daheim am besten sich verkaufen werden.
Nicht Poesie gibt und nicht Sympathie
Bei ihm den Ausschlag, sondern das Geschäft.
Gestehen wir's, von seinem Standpunkt aus
Ist er im Rechte, wenn er Geld gewinnen
Durch Puppen will — und dieses ist sein Ziel.

Denk' an das Puppenlager ich zurück,

Trojan, Für gewöhnliche Leute   10

Tritt mir vor Augen etwas andres noch.
Nicht weit von jenem Ort, von dem ich sprach,
Im Tannenwalde steht ein niedres Haus,
An dessen Herde Armut wohnt und Fleiß.
Ich sah hinein, da sah ich drinnen sitzen
Bei ems'ger Arbeit alle, die darin
Mühsam ihr Leben fristen, groß und klein,
Die Eltern und der Kinder ganze Schar
Bis auf die kleinsten, die, noch ahnend nicht,
Was ihrer wartet, in das Leben blicken
Den Puppen ähnlich, auch verschlafen noch —
Die andern aber alle machten Puppen.
Hier wurden Ärmchen ausgepreßt und Beinchen
Und Köpfe dort aus einem weichen Stoff,
Der dann erstarrt und sauber wird geglättet.
Hier wurden Augen eingesetzt und dort
Gemalt die Augenbrauen und die Wimpern
Und rote Wänglein. Rote Wänglein zeigten
Die Kinder nicht, die bei der Arbeit saßen.
Viel Mühe heischt sie und geringen Lohn
Nur trägt sie ein, kaum von des Hauses Schwelle
Vermag sie fernzuhalten bittre Not.
O, wenn die Puppen, die am Weihnachtsabend
So blank und schmuck erscheinen unterm Baum,
Erzählen könnten, wieviel sorgenvolle
Gesichter sie gesehn in ihrer Heimat,
Durch wieviel arme Hände sie gegangen,
Bevor sie fertig waren für den Markt,
So würden sie manch helles Auge trüben!
Doch sie verraten nichts, und das ist gut.

Das Christfest naht, und wieder fällt mir ein
Das arme Puppenmacherhaus im Walde.
Hat Lieb' auch dorthin ihren Weg gefunden?
Wirft dort hinein auch seinen Glanz das Fest?
Schallt dort hinein die frohe Botschaft auch,
Die einst den Hirten auf dem Feld erklungen?
So viele Weihnachtsbäume stehn im Walde,
Der Hütte nah — ob einer auch gelangt
In sie hinein, mit Kerzen auf den Zweigen
Und bunt geziert?

       Vor meine Seele tritt
Ein freundlich Bild: es ist die heil'ge Nacht,
In deren Frieden ruht das Waldgebirge.
Der Berge Kuppen, der verschneite Forst,
Umfangen sind sie von gewalt'gem Schweigen.
Darüber wölbt mit seinen goldnen Sternen
Der Himmel sich.

       Dort in dem Tale steht
Das arme Haus auch, aber drinnen ist's
Nicht dunkel, nein, die Fenster glänzen hell.
O sieh, es steht ein Weihnachtsbäumchen dort,
Wenn auch ein schlichtes nur, und um das Bäumchen
Sind fröhliche Gesichter auch zu schaun.
Horch, plötzlich unterbrochen wird die Stille,
Und aus dem kleinen Haus erschallt ein altes
Liebliches Lied — weit in das stille Tal
Klingt es hinein, und Wald und Berge lauschen.

       10*

Was macht man mit einem Taler?

Was macht man mit einem Taler? Da diese hübsche, angenehme alte Münze immer noch da ist und einem in die Hände gerät, diesem häufiger und jenem seltener, so ist die Frage berechtigt: Was macht man damit? Was macht man mit einem harten Taler? Es gibt Leute, die ihn zu andern Talern legen, die sie schon haben; und wenn sie wieder einen bekommen, legen sie ihn wieder dazu, so daß nach und nach eine Rolle entsteht. Man nennt das, ihn auf die hohe Kante legen. Fürwahr, es gehört nur wenig Menschenverstand dazu, um einzusehen, daß dies eine sehr einfältige Verwendung des Talers ist. Es kommt gar nichts heraus dabei, man kann ihn ebensogut, wie es auch geschieht, in einen Strumpf stecken oder vergraben. Der Taler aber gewährt nur dann Nutzen, wenn er in Bewegung bleibt, wenn er im Rollen erhalten wird.

Den Taler in Wein zu verwandeln, ist ein Vorschlag, der sich hören läßt. Bei den schlechten Weinlesen der letzten Jahre und den teueren Preisen kann man ja kein Hochgewächs dafür bekommen, aber doch immerhin eine Flasche ganz trinkbaren Rebensafts, vorausgesetzt, daß man sich an die rechte Quelle wendet. Mit dem Austrinken der Flasche stiftet man nun zwar keinen großen Nutzen, es liegt aber doch ein sehr viel verständigerer Gebrauch des Talers darin, als der ist, von dem zuerst die Rede war. Man kann sich auch für den Taler ein Buch kaufen, aus dem Belehrung oder Vergnügen zu schöpfen ist. Aber wozu davon reden, da es doch so leicht niemand tut. Eher verzehrt einer den Taler schon in Pfefferkuchen oder verraucht ihn.

Auch sonst gibt es noch verschiedene Arten, den Taler sicher unterzubringen. Eine Art ist die, daß man am Tage vor Weihnachten den Taler zu sich steckt, sich mit ihm auf die Straße begibt und ihn dort irgend jemand in die Hand drückt, von dem man denkt, er könne ihn brauchen. Ich halte das für eine sehr listige Art, den Taler loszuwerden. Der Jemand aber, dem man ihn versetzt, kann auf der Straße gehen oder stehen, er kann auch auf dem Kutscherbock eines Wagens sitzen. Er kann auf dem Kopf eine Mütze haben oder einen alten Hut, das ist einerlei. Es kann auch eine alte Frau sein, oder ein Junge oder ein Kind. Auch braucht man nicht auf der Straße zu bleiben, sondern kann auch in ein Haus hineingehen und einmal in den Hofwohnungen sich umschauen, ob dort vielleicht jemand ist, bei dem sich der Taler gut anbringen läßt. Und zwar kommt es darauf an, ihn da los zu werden, wo er nicht lange bleibt, sondern bald entlassen wird, um weiter wandern zu können. Ich erinnere mich, daß wir einmal sogar einem schlafenden Nachtwächter einen Taler in die Tasche geschmuggelt haben. Das war, ich will es gestehen, ein etwas derber Spaß, hat aber doch keine Anklage wegen Verübung groben Unfugs nach sich gezogen.

Trinkspruch auf die Frauen,

ausgebracht auf dem Kommers alter Burschenschaften zu Berlin
im Juni 1890

Tief klang in das alte Herz hinein
Das Lied, das eben verklungen,
Das wir einst fröhlich im Sonnenschein
Und auch im Regen gesungen.
Wenn wir auszogen so manchesmal
Ohne Sorgen wohl in die Weite,
Um die Frühlingszeit über Berg und Tal,
Und die Rosen blühten wie heute.

Kamen wir in ein Dorf hinein,
So gab es frohes Erstaunen,
Vor die Türe traten die Mägdelein,
Die schwarzbraunen, blonden und braunen.
Da ward gegrüßt und da ward gelacht
Und im Wandern weiter gesungen.
Wie oftmals ist in die Frühlingspracht
Das lustige Lied erklungen!

Wie kann so schnell, was nun schon so weit,
Aufs neu die Seele entflammen!
Die Jugendzeit und die Rosenzeit
Passen gar gut zusammen.

Beflügelt fühl' ich des Herzens Schlag
Von einst genossenem Glücke,
Denk' ich an so manchen Frühlingstag
Und ans erste Semester zurücke.

Der junge Bursch, aus der Mutter Hut
Hinaus in das Leben trat er,
Da nahm in Empfang ihn, die auch es gut
Mit ihm meinte, die Alma mater.
Alma mater wird sie mit Recht genannt,
Weil mütterlich ist ihr Denken:
Sie nährte mit Weisheit uns und Verstand
Und vergaß auch nicht uns zu tränken.

Doch die lustige Zeit ist bald entflohn,
Es kann ja nicht immer so bleiben,
Eh' man's denkt, kommt der Ernst des Lebens schon,
Der ein Ziel setzt sorglosem Treiben.
Der Bursch kann doch nicht durchs Leben gehn
Als leichter, loser Geselle,
Zumal wenn er sich hat festgesehn
In zwei Äuglein, freundliche, helle!

Der wandernd sonst sang das frische Lied
Und keck ausschaute nach allen,
Blonden und Braunen ohn' Unterschied,
Ihm will nur noch e i n e gefallen.
Eine allein ist's, die ihm gefällt,
Die im Herzen ihm liegt und im Sinne;
Erschlossen wird ihm eine neue Welt
Durch die holdsel'ge Frau Minne.

Nichts auf der Welt hat soviel Gewalt
Als sanfte Rede der Frauen,
So ist denn auch an dem Burschen bald
Ihr guter Einfluß zu schauen.
Was die Liebste spricht, nichts gibt es mehr,
Das so tief er ins Herz sich schriebe.
Kein Professor erteilt so gute Lehr'
Als Frauenmund und die Liebe.

Der flotte Bursch, der mit blankem Stahl
Jedem Gegner wußte zu dienen,
Wie verwandelt ist er mit einemmal,
Seit die liebste Maid ihm erschienen.
Nun macht er Mäßigkeit sich zur Pflicht
Und nimmt sich in acht beim Sprechen,
Denn der Kneipe Ausdrücke liebt sie nicht
Und hält nur wenig vom Zechen.

Es kommt der Tag, der ihr Glück noch mehrt,
Der fürs Leben beide verbindet.
O wonniger Tag, da am eignen Herd
Wird das erste Feuer entzündet!
Die sein Herz erkor, sie beglückt den Mann,
Hausfräulich waltend und schaltend;
Wenn er Sorgen hat, lacht sie hold ihn an,
Ihm das Leben freundlich gestaltend.

Freundlich gestalten, es tut oft not
In des Lebens düsteren Tagen.
Was läßt froh essen bescheidnes Brot?
Frauenliebe, die mit hilft tragen.

Frauenliebe und Frauengeduld
Erhalten bei Mut und Frieden.
Dem ist geworden des Himmels Huld,
Dem ein solcher Schatz ist beschieden.

Ein solcher Schatz soll beschieden sein'
Jedem wackern Burschen auf Erden;
Er kann sonst auch bei Gesang und Wein
Nicht völlig glücklich werden.
Was sonst auch Gutes ihm mag geschehn,
Kann alles ihm nicht viel taugen,
Das Glück, um vollkommen es zu sehn,
Erfordert doch zwei Paar Augen.

Zwei Paar oder mehr! denn die zu zwein
Haben hauszuhalten begonnen,
Mit den Jahren bleiben sie nicht allein,
Sind auch gar nicht dazu gesonnen.
Und wie's geschieht in des Lebens Lauf
Bei des gütigen Himmels Segen:
Im Hause blühn ihnen Röslein auf
Und lachen ihnen entgegen.

Die Zeit geht hin, die mit leiser Hand
Im Gesicht wirkt Falte um Falte,
Auf einmal „Alter“ wird man genannt,
Und die Gattin auch heißt „die Alte“.
Doch ob alt, ob jung, wenn nur Lieb' und Treu'
Aushalten bis an die Bahre,
Dann erblüht auch Freude des Lebens neu
In jeglichem neuen Jahre.

Der Bursch wird alt, grau wird sein Haar,
Um ihn blühen neue Geschlechter.
Auf einmal sieht er sich — es ist wahr —
Im Besitz erwachsener Töchter.
Die muß er nach guter Väter Brauch
Ehrbarlich zum Balle führen
Und am Ende gar — er will's ja auch —
Sie an junge Bursche verlieren.

Alte Bursche und junge, die wir heut
Uns zusammen haben gefunden,
Um hier einmal in der Rosenzeit
Unser Burschentum zu bekunden:
Freuen wir uns, daß es nicht gebricht
Bei unserm Fest uns am Besten,
An lieblichstem Schmucke fehlt es nicht,
Nicht an willkommenen Gästen.

Wohl uns, daß wir auch hier sie sehn,
Unsre Liebsten aus allen Semestern,
Die beglückend mit uns durchs Leben gehn,
Gattinnen, Mütter und Schwestern,
Wohl ein Bräutchen auch und auch Töchterlein,
Die froh auf uns niederschauen.
Die Burschenschaft kann zufrieden sein,
Sie steht sich gut mit den Frauen.

Nun ist es Zeit, daß mit vollem Glas
Wir der Holden, Lieben gedenken

Mit dankbarem Sinn für alles das,
Was sie voll Güte uns schenken.
Dem werde mit lautem Jubelruf
Jetzt der rechte Ausdruck gegeben:
Dem Himmel Dank, der das Weib uns schuf!
Unsre Fraun und Jungfraun, sie leben!

Kleinigkeiten

Auf einer Blume, über die ein Kind sich beugte, kroch eine kleine Spinne. Diese sah das Kind über sich und dachte: „Was ist das für ein großes Wesen! So etwas Gewaltiges habe ich noch nie vorher gesehen."

Es saß aber im Kelche der Blume eins der sehr kleinen Käferchen, die dem Menschenauge wie ein Punkt erscheinen. Das Käferchen konnte nichts von dem Kinde sehen, denn so weit reichte seine Welt nicht; es sah aber die Spinne und rief voll Angst: „Was für ein Riese kommt da auf mich zu! Nie hätte ich gedacht, daß es so ungeheure Geschöpfe geben könnte!"

So geht es mitunter auch andern.

Die rechte Zeit abzupassen ist nicht so leicht, besonders wenn man nicht der rechte Mann ist. Es will wohl einer den Sonnenaufgang sehen, setzt sich auf einen Berg und sieht nach der falschen Himmelsgegend. Dann begibt es sich, daß ihm die Sonne auf den Rücken scheint, noch ehe er merkt, daß sie aufgegangen ist. Was nützt unter solchen Umständen das frühe Aufstehen und die Geduld?

Eine Arbeit kann dreierlei Lohn tragen. Der erste Lohn ist der, der in Geld bezahlt wird; der zweite besteht in dem Bewußtsein, Fleiß und Mühe an ein Werk gewandt zu haben; der dritte liegt in dem Nutzen, den die Arbeit andern Menschen trägt. Der ist der beste.

Eines der schlimmsten Worte heißt: Gut genug! Gewöhnlich braucht es einer zu seiner Entschuldigung, wenn er etwas gemacht hat, was eben nicht gut genug ist. Dafür gut genug! heißt dann das Trostwort. Aber wer sein Werk nicht so gut macht, als er kann, der gibt sich unter dem Wert aus, und das sollte einem ernsten und rechtschaffenen Menschen nicht gut genug sein.

Das Streben unserer heutigen Schulen ist, „Marktpflanzen" heranzuziehen, von denen die eine genau so aussieht wie die andere. Wenn nicht der Himmel ein Einsehen hätte und ließe von Zeit zu Zeit ein Gewächs aufgehen, das aller Zucht zum Trotz auf seine besondere Art sich entwickelt, es wäre nicht auszuhalten mehr auf der Welt.

Zur Untersuchung von Wein ist ein Chemiker sehr gut geeignet. Man macht es aber am besten so, daß man den Chemiker zuerst den Wein trinken läßt und dann am andern Tage den Chemiker untersucht.

„Mann über Bord!" Welche Aufregung herrscht auf dem Schiff, wenn dieser Ruf erschallt! Alles, was nur möglich ist, wird ins Werk gesetzt, um den Mann zu retten. In der

See der Gesellschaft, in der wir schwimmen, wie oft erschallt
derselbe Ruf! Aber er verklingt in dem allgemeinen Lärmen
und Gebrause, und wenn Leute ihn wirklich hören, gehen sie
meist vorüber. Sie haben keine Zeit. Mancher doch, der
über Bord geht, könnte gerettet werden, wenn sich Hände zur
Rettung fänden.

Leben und Sterben

An den Frühling

Nicht so schnell, o Frühling, scheide,
Laß dir doch ein wenig Zeit!
Gar zu rasch webst du der Heide
Und der Flur ihr buntes Kleid.

Wenn du zögerst, wenn du wieder
Für ein Weilchen scheinst zu fliehn,
Hoffen wir auf neue Lieder,
Hoffen wir auf neues Blühn.

Wenn die Stürme wieder tosen,
Weiß man nicht, was werden will;
Aber blühen erst die Rosen,
Ach, wie bald wird alles still.

Die Nachtigall

Nach dem Volksglauben

Liegt einer in Maientagen
Von schwerem Siechtum matt
Und hört die Nachtigall schlagen
Auf seiner Lagerstatt,

Dann nimmt gar bald sein Leiden
Ein End' und seine Not;
Sie singt ihm eins von beiden,
Das Leben oder den Tod.

So süß ihr Locken und Werben,
So stark ihrer Stimme Klang:
Genesen muß oder sterben
Der Kranke von dem Gesang.

Der Wegweiser ohne Schrift

Der seltsamste Wegweiser, den ich fand,
War einer, drauf kein Wort geschrieben stand.
Ausstreckt' er eine Hand wohl, doch er ließ
Im Dunkel ganz den Ort, wohin sie wies.
An dieser Stelle kam ein alter Mann
Entgegen mir, den redete ich an:
„Wohin wohl kommt man, wenn man weiter geht
Dort jenen Weg? Seht, auf dem Weiser steht
Geschrieben nichts, stumm zeigt er sich und leer."
„Wohin man kommt? Nach Haus'!" erwidert' er.

Die kranke Taube

Nach einem Bilde

Ein krankes Täubchen in den Händen
Zur Kirche kommt ein armes Kind,
Vertrauend sich an den zu wenden,
Dem ja so lieb die Kinder sind.

Vorm Bild des Heilands kniet es nieder
Und fleht so recht aus Herzensgrund:
„Mach mir gesund mein Täubchen wieder,
Mach meine Taube mir gesund!

Sie ist so matt, das Köpfchen neigt sie
Und Körner pickt sie gar nicht mehr,
Gar keine Heiterkeit mehr zeigt sie —
Ich bitt dich: stell sie wieder her!

Sie mag nicht mehr die Flügel regen
Und sieht mich oft so traurig an.
Was hilft es mir, sie treu zu pflegen?
Du bist's allein, der helfen kann.

Ich bin so sehr ihr gut, und keine
Ist sonst so traut, so weiß und rein.
Und sieh, ich hab nur diese eine —
Laß bald gesund sie wieder sein."

Das Mägdlein spricht's und ist gegangen,
Zwar noch im Herzen Kümmerniß,
Doch schon von Hoffnung rot die Wangen,
Und denkt bei sich: Gott hilft gewiß!

Ach, Mägdlein, oft aus unsrer Mitte
Erschallt so recht aus Herzensgrund
Zu Gott dem Herrn hinauf die Bitte:
Mach meine Taube mir gesund!

11*

Und will er nicht Genesung schenken,
Der doch so vieles Liebe tut,
Auch dann, lieb Mägdlein, muß man denken:
Wie er es macht, so ist es gut.

Für arme Vögel

Vögel sind des Himmels Gäste
Als die Jünger freier Kunst,
Und für sie das Allerbeste
Auf der Welt ist seine Gunst.

Daß er hold sich ihnen zeige,
Wohl darauf vertraun sie fest,
Wenn auf einem schwanken Zweige
Sie erbaun ihr leichtes Nest.

Und sie freun sich ihrer Schwingen,
Laben sich am goldnen Licht,
Doch bei all der Lust am Singen
Denken sie ans Sammeln nicht.

Um die schöne Zeit der Blüten
Finden sie ihr reichlich Brot,
Doch wenn rauhe Stürme wüten,
Leiden viele Vögel Not.

Muß man's noch den Menschen sagen,
Daß sie Körner denen streun,
Die dafür in bessern Tagen
Sie durch ihre Kunst erfreun?

Verschiedene Neigungen

Der eine zieht mit Fleiß und Müh
Sich Hühner auf und füttert sie.
Ihm zustehenden Dankes wegen
Hält er sie an zum Eierlegen.
Den andern kann nichts mehr erfreun,
Als wilden Vögeln Brot zu streun.
Freude macht's, aber bringt nichts ein.

Schön und vergänglich

O wie reizend ist, was aus Staub entsteht,
Wenn in Blumengestalt es ziert das Beet.
Doch nicht lange währt all die blühnde Pracht,
Was der Tag aufschloß, welkt hin über Nacht —
Wie so manch ein blühendes Menschenbild,
Das mit reinster Freude das Herz uns füllt,
Ach, zu sehr nur gleicht es der Ros' am Strauch,
So mit Reiz geschmückt, so vergänglich auch.
Ach, erblüht kaum wird es des Todes Raub
Und zerfällt in Staub.

Die drei Blumen

Es steht eine schöne Blum' im Moor,
Hell schimmert sie aus dem Moos hervor.
So zierlich ist sie gebaut, so zart
Sind wenig Blumen von andrer Art.
So mancher ging, sie zu holen, aus
Und kam nicht wieder zurück ins Haus.

Eine Blume wächst an der Felsenwand,
Auf steiler Höhe am Abgrundsrand.
Wie Purpur glänzt sie und lockt von fern,
So mancher bräche die Blume gern.
Doch wer sich bückt nach dem Kelche rot,
Den erfasset Grauen, ihm winkt der Tod.

Es schwimmt eine Blum' in blauem See,
So rein, so lieblich wie Gold und Schnee.
Hinüber leuchtet sie nach dem Strand,
Und mancher reckte nach ihr die Hand.
Sie aber zog ihn mit Macht hinab,
Und in der Tiefe fand er sein Grab.

Da kommt gegangen ein junger Fant,
Der bricht die Blum sich an Abgrunds Rand,
Die Blume holt er sich aus dem Moor,
Er zieht die Blum' aus dem See hervor.
Er bindet in einen Strauß die drei
Und schreitet von dannen frank und frei.

Die Leute sehen's und staunen sehr:
„Wo hast du nur die drei Blumen her,
Um die schon mancher den Tod erlitt?" —
„Ich sah sie blühen und nahm sie mit." —
Also der Jüngling bescheiden spricht —
„War es gefährlich? Das wußt' ich nicht."

Die erste Stimme

Bei meiner Arbeit lang hatt' ich gewacht
Und als ich aufstand, kämpfte schon der Schimmer
Der Lampe mit des jungen Tages Licht.
Zwei Schatten warf die Feder schon: der eine
Ging aus dem Schwarzen in das Blaue über,
Mit lichtem Golde war gemalt der andre.
Mittsommernacht war nah, es war die Zeit,
Da lange Tage sind und rasch die Nächte
Vorübergehen wie ein kurzer Traum.
Ans offne Fenster trat ich hin; erkennbar
Am Himmelszelte waren Sterne noch,
Indessen einer nach dem andern schon
Versank allmählich in dem lichten Blau.
Als so hinaus ich in die Dämmrung sah,
Vernahm ich plötzlich eine kleine Stimme.
Ein leiser Ton nur war's, dann war es still,
Und wieder dann erklang derselbe Ton,
Als hätte ein Taste des Klaviers
Ein Kind, unkundig noch des Spiels, berührt
Mit schwachem Fingerchen, ein wenig scheu
Und fast erschrocken über den Erfolg,
Um gleich darauf es nochmals zu versuchen.
So zwei- und dreimal hört' ich diesen Ton,
Dann aus dem Tone ward ein kleines Lied,
Ein kurzer Vers nur, aber lieblich klang er.
Ich wandt' mich um — wohl wußt' ich, was es war:
Mein Distelfink war's, der den Tag begrüßte.

Ich hatte mir den Vogel nicht gekauft,
Noch ihn gewonnen durch ein glücklich Los,
Wie auch schon eins mir einen Vogel brachte:
Nein, seine Eltern kannt' ich, ob auch weiter
Als hundert Meilen war entfernt ihr Wohnort,
Und kannt das Nest, darin er aufgewachsen.

Im Jahr vorher um diese selbe Zeit,
Als an dem Roggen hing die erste Blüte
Und hie und da schon im besonnten Weinberg
Auch eine Rebenblüte sich erschloß,
Besucht' ich an der Mosel einen Freund.
Die Rosen blühten, wie ich nie vorher
Und später nie sie blühend hab gesehn,
Und wenn ich denke, wie wir zwischen Rosen
Im Garten standen, auf die niedre Mauer
Die Gläser stellend mit dem goldnen Wein,
Indessen alles war in Licht gebadet,
Berg, Tal und Fluß, die Rosen und der Wein:
Dann geht das Herz mir auf in der Erinnrung.

Vom Fenster aus des Stübchens, wo ich schlief,
Sah ich hinab in meines Wirtes Garten.
Ein echt und rechter Bauerngarten war's,
Wo Kraut und Unkraut durcheinander wuchsen:
In Nesseln Lilien, buschiger Lavendel,
Der Raute Sträuchlein mit dem würz'gen Duft
Und Glockenblumen und viel andres mehr.
Dort unten stand ein Mirabellenbaum,
Empor zum Fenster hob er einen Zweig,
Mit dem er fast des Fensters Glas berührte,

Und auf dem Zweige war ein Vogelneſt.
Von einem Diſtelfinken war's das Neſt,
Man konnt' hineinſehn und die Eilein zählen.

Die zeigte mir mein Wirt und ſagte mir,
Wenn ausgeſchlüpft die jungen Vöglein wären,
Wollt' er mir eines ſchicken nach Berlin,
Das heißt, ſobald es auf der Bahn zu machen
Imſtande wäre den ſo weiten Weg.
So ſprach er, und ich gab nicht viel darauf,
Sonſt hätt' ich wohl Verwahrung eingelegt
Und ihn gebeten, daß den Vogel er
Ließ' an dem Ort, wo er ſich wohl befand.
Auch dacht' ich weiter nicht an das Verſprechen.

Am Weihnachtsmorgen, als der Tannenbaum
Schon aufgeputzt in meinem Zimmer ſtand,
Da mit der Poſt kam an der Diſtelfink.
Wohleingepackt war er und wohlbehalten,
Mit Futter für die Reiſe noch verſehn,
Und auch an Trank hatt' es ihm nicht gefehlt.
Sehr bange war er anfangs und verſchüchtert,
Bald aber macht' er ſich vertraut mit mir
Wie mit den Meinen und mit allem, was
In ſeiner neuen Heimat ihn umgab.
Der Liebling aller ward er bald, ein immer
Zufriedner, heitrer, lieber Hausgenoſſe.

Das war der Vogel, der den Tag begrüßte,
Als ich noch wach war; ſeine Stimme rief
Des jungen Morgens Bild mir in die Seele,

Hinaus mich tragend in die blühnde Welt.
O süße Stunde, wenn des Vogels Schlag
Zuerst verkündet, daß der Morgen naht!
Hell wird und heller es, die Sterne schwinden,
Von Baum zum Baume rauschend geht der Wind,
Fällt in das Kornfeld, daß es Wellen schlägt,
Und wiegt die wilden Rosen auf den Zweigen.
Nun springen wohl des Mohnes Knospen auf,
Und Purpur quillt hervor aus grünen Hüllen
Und färbt den Anger, der mit Tau besprengt ist,
Auf dem Maßliebchen noch verschlafen stehn.

Dies sprach ich zu mir selber und darauf
Zu meinem Distelfinken sprach ich so:
„Du denkst gewiß der schönen Morgen jetzt,
Die einstmals du im Moseltal erlebt
Im Nestchen auf dem Mirabellenbaum.
Gefangner Vogel bin auch ich wie du
Und sing wie du in der Gefangenschaft.
Gefangner Vogel bin auch ich wie du,
Daß aber beide von der Freiheit wir
Etwas im Herzen tragen, macht uns singen.“

Arbeitsstörer

Es sitzt ein fleiß'ger Handwerksmann
Und strengt bei seinem Werk sich an.
Er wirkt, wie er's in mancher Nacht
Mit vieler Sorge sich ausgedacht.
Und wie er hin und wieder greift,
Der Schweiß ihn von der Stirne läuft.

Da stellen, weil er schafft im Frein,
Sich viel müß'ge Gesellen ein.
Wie sie neugierig um ihn stehn
Und starr ihm auf die Finger sehn,
Fangen sie an zu mäkeln und schelten,
Lassen bald dies bald das nicht gelten;
Weisen ihm, wie in seiner Sache
Er dies und jenes besser mache.
Zu Anfang hört der arme Mann
All das Gered geduldig an;
Dann fährt er auf: Laßt mich in Ruh!
Was gebt, was helft ihr mir dazu?
Ich greif mein Werk nicht anders an,
Als ich gelernt hab', als ich kann.
Was ich gefehlt hab' und versehn,
Darüber werd' ich einst Rede stehn;
Doch dünkt mich gar zu kurz mein Leben,
Um jedem Narren Bescheid zu geben.
Macht's besser, wenn ihr's besser wißt,
Ich hab nicht vor, wenn's fertig ist,
Mit meinem Werk euch nachzulaufen.
Wer's nicht gut findt, braucht's nicht zu kaufen.

Aus der Einsamkeit

Einst am Herbsttag ging ich durch die Heide
Gegen Abend hin an stillem Tage.
Um die Zeit war's, da am Waldesrande
Schon korallenrot die Beeren hingen
In des Ebereschenbaumes Zweigen.

Als ich in den Nadelwald gekommen,
Ließ zur Rast ich auf das Moos mich nieder.
Lautlos stand der Wald, durch seine Wipfel
Ging kein Hauch, und nicht ein Hauch bewegte
Gras und Farnkraut unten auf dem Boden.
Als ich da so lag und sann und dachte,
Während tiefes Schweigen ringsumher war,
Hört' ich plötzlich eine Stimme sagen:
„Warum fürchtest du dich vor dem Tode?"

Zwar zuerst, beinah' erschrocken, stutzt' ich,
Aber bald doch faßt' ich mich und fragte;
„Weißt du denn, daß ich vor ihm mich fürchte?"

Und die holde Stimme sagte wieder,
Heiter klang es und unsäglich lieblich:
„Wär' es gar so seltsam, ihn zu fürchten?
Muß nicht alles, was da lebt und atmet,
Sich am Licht freut, an den bunten Farben,
Bange vor der Nacht sein und dem Ende?
Aber fürchte nicht dich vor dem Tode!
Nicht bedenklich kann es doch dir scheinen,
In dieselbe Hand zurückzufallen,
Die dich ausgesendet hat ins Leben,
In die Hand, die alles hier umfaßt hält,
Die das Meer auch hält und das Gebirge,
All die kleinen Blumen auf der Erde
Und am Himmel all die goldnen Sterne."

Also sprach die Stimme, eine Weile
Schwieg sie still, dann hub sie an aufs neue:
„Da du lebst, so manches magst du fürchten,
Bange mag dir um die Seele werden,
Wenn von Neid und Arglist du bedroht bist,
Wenn die Not sich setzt auf deine Schwelle,
Sorgen dir den lieben Tag verdunkeln,
Wenn du zitterst um geliebtes Leben
Oder selber bist gequält von Schmerzen.
Aber vor dem Tode fürchte nicht dich!
Einem Kinde gleich, das auf den Armen
Seiner Wärterin, wenn es die Mutter
Kommen sieht, nach ihr die Ärmchen breitet:
Also müßte dir es auch ums Herz sein,
Wenn für dich die Stunde schlägt der Heimkehr,
Darum fürchte nicht dich vor dem Tode!"

Nichts mehr sprach darauf die liebe Stimme,
Aber ich erhob mich, durch den Wald hin
Schritt ich, der schon lag im Abendschimmer,
Und Rotkehlchenruf klang von den Zweigen,
Als ich ging dem Meeresstrand entgegen.
Durch Gestrüpp von Kiefern, durch der Brombeer
Rankenwerk klomm ich empor zur Düne.
Vor mir lag das Meer, auf das der Abend
Seine Rosen streute, still und reglos;
Aber lauschend hört' ich doch, wie manchmal
Leis ans Ufer anschlug eine Welle:
Wie im Schlummer schien das Meer zu atmen.
Stillen Herzens wandt' ich mich zum Heimweg.

Gemeine Not

Gemeine Not mischt sich in alles ein,
Wo größter Schmerz laut wird, spricht sie darein.
Und ob du ihr auch zürnest und ihr wehrst,
Sie macht sich Platz und spricht: Ich komm zuerst.
Und wie sie sorgt, daß deine Hand nicht ruht,
Du fühlst es schwer — und dennoch ist es gut.

Schön sein ist ein gutes Ding

Schön sein ist ein gutes Ding,
Nützt fast mehr als Gold.
Eine blühnde Ros' am Strauch,
Wer sie sieht, der lobt sie auch,
Alle sind ihr hold.

Reich sein ist ein gutes Ding,
Armut, ach, ist hart.
Glücklich, wer da Reichtum hat,
Alle Wege macht er glatt,
Hält die Hände zart.

Klug sein ist ein gutes Ding,
Hat gar hohen Preis.
Alles blickt zu dem hinauf,
Hoch zu Ehren steigt er auf,
Der da vieles weiß.

Armes Mädel, gräm dich nicht,
Fehlt dir's an den drein.

Bist nicht schön, nicht reich, nicht klug:
Hast du eins, das ist genug,
Ist genug allein.

Schönheit welkt, und Reichtum nicht
Schafft Gewissensruh.
Klugheit stillt nicht tiefes Leid —
Bestes doch zu jeder Zeit,
Treues Herz, bleibst du!

Sonnenscheinfang

Es war im Frühling, als das neue Grün
Erst spärlich glänzte an der Sträucher Zweigen,
Da saß auf einem Hof ein alter Mann
Im Lehnstuhl, sich des milden Tags erfreuend,
Des ersten, der nach langer Winterszeit
Ins Freie wieder ihn hinausgelockt.
Auf einem Bänkchen ruhten seine Füße,
Die Schuhe aber hatt' er ausgezogen
Und vor sich auf den Boden hingestellt,
So daß die Sonne schien in sie hinein.
So saß er da und träumte vor sich hin.
Mitunter klang wohl ihm ins Ohr hinein
Ein Finkenschlag vom nahen Garten her
Gleich einem Gruß aus längst entschwundner Zeit.
Zuweilen auch, aus seinen Träumereien
Erwachend, sah er seine Schuhe an
Und lächelte vergnüglich und verschmißt.
Er freute sich des schlau erdachten Plans,

Den Sonnenschein zu nuße sich zu machen,
Im Geist den Augenblick genießend schon
Des Wohlgefühls, da mit den Füßen er —
Wie wonnig, dacht' er, würde das wohl sein! —
In die erwärmten Schuhe würde fahren.

O wie genügsam macht das Alter doch!
Man strebt und wünscht und hofft, und endlich ist man
Zufrieden schon, wenn einem es gelingt,
Mit aller List in einem alten Schuh
Ein bißchen Sonnenschein noch einzufangen,
Und sagt zu sich: Was kann ich mehr verlangen?

Die Neiderinnen

Am Wege steht ein armes Weib, im Arm
Die Hacke, müde von der schweren Arbeit,
Und ihr zu Füßen spielen ihre Kinder,
Ein wunderlieblich Paar, mit gelben Haaren
Und runden Wangen, deren frisches Rot
Die Armut nicht zu bleichen hat vermocht.
Und während so sie dasteht auf dem Feldrain,
Da wirbelt von der Straße Staub empor.
Ein prächt'ger Wagen naht sich, und darin,
Bequem zurückgelehnt, sitzt eine Frau,
Geschmückt mit allem, was der Reichtum spendet.
Die Arme starrt sie an, verzehrt von Neid
Und mustert gierig ihres Reichtums Glanz.
Sie ahnt es nicht, wie sie beneidet wird
Von der, die stolz an ihr vorüberfährt
Und ihre Augen heftet auf das Paar
Mit ros'gen Wangen und mit goldnem Haar.

{

An ein gutes Menschenkind

Wie rasch vergeht oft und zerfällt,
Was fest erscheint und hart!
Mich wundert, daß so lange hält,
Was schwach doch ist und zart.

Ich seh dich an, seh, wie das Leid
Gefurcht hat dein Gesicht.
So vieles raubte dir die Zeit,
Das Beste nahm sie nicht.

Dir blieb das sichre Gottvertraun,
Dem hell die Nacht erscheint;
Drum kann dein Auge heiter schaun,
So viel es auch geweint.

Kein Undank hat, an dir verübt,
Gemacht dich wen'ger mild;
Kein Hauch von Neid hat je getrübt
In dir des Himmels Bild.

Vorüber ging dir Jahr auf Jahr,
So manches reich an Schmerz.
Du aber hast, wie einst es war,
Bewahrt dein gutes Herz.

Die Fürsprecherin

Einst stand Sankt Peter vor der Himmelstür,
Der Gäste wartend, die da kommen sollten,

Von Erdennot und Lebensqual erlöst.
Da naht' ein Mann, in jungen Jahren noch,
Den jäh des Todes Sichel weggemäht,
Und bat um Einlaß den gestrengen Pförtner.
Sankt Peter schlug in seiner Liste nach,
Und achselzuckend sprach er zu dem Mann:
„Heb dich von hinnen! An ein ander Tor
Magst pochen du — hier hast du nichts zu suchen.
Nichts tatest du, um zu verdienen dir
Die Seligkeit, solange du gelebt.
Wie? Oder hast du etwas anzuführen,
Zu melden etwa eine gute Tat,
Womit du dir ein Anrecht hast erworben?"
Der aber traurig sprach: „Ich habe nichts!"
Und wandt' sich um. Noch war er nah der Tür,
Als ihm entgegenkam ein altes Weib
Trippelnden Schrittes — eilig hatte sie's,
Hineinzukommen in den warmen Himmel,
Und keiner wohl konnt' ihr verdenken das:
Der armen Seele war es anzusehn,
Daß es ihr schlecht auf Erden war ergangen.
Und doch, neugierig, wie die Weiber sind,
Sah sie dem Abgewiesnen ins Gesicht.
Da blieb sie plötzlich wie versteinert stehn
Und blickt' ihm nach und wich nicht von der Stelle.
Sankt Peter endlich rief und sprach zu ihr:
„Willst du herein nicht in den Himmel kommen?
Hier sieht dich alles gern, und alles freut sich,
Dich zu begrüßen, weil du wohl verdient
Die Seligkeit durch langes Elend hast,
Das du ergeben trugest und getreu."

Sie aber fragte: „Soll er nicht hinein,
Dem ich soeben hier begegnet bin?“ —
„Nein,“ sprach Sankt Peter, „er ist abgewiesen,
Weil er auf Erden Gutes nicht getan.“ —
„Nichts Gutes tat er?“ fuhr die Alte auf.
„Ich aber weiß es, daß er Gutes tat,
Weil an mir selbst er solches hat getan.“ —
Sankt Peter sprach: „Wohlan, bericht' es uns!“
Und also hub darauf die Alte an:
„An einem Tage ging ich in der Stadt
Vom Markt nach Hause, an dem Arm ein Körblein
Voll Bohnen tragend, die ich eingekauft,
Um zu bereiten mir ein ärmlich Mahl.
Da kam auf einmal ich — wie es geschehen,
Ich weiß es selber nicht — zu Fall und stürzte
Zu Boden hart. Vom Arme flog der Korb mir,
Und alle Bohnen lagen rings zerstreut.
Sehr weh getan hatt' ich im Fallen mir,
Umsonst versucht' ich zu erheben mich,
Und mancher ging an mir vorbei indessen,
Sich nicht bekümmernd um das alte Weib,
Bis jener Mann des Wegs gegangen kam,
Derselbe, den du abgewiesen hast.
Gleich blieb er stehn und half vom Boden mir,
Mit kräft'ger Hand sanft und geschickt mich fassend.
Doch nicht genug — du wirst es mir nicht glauben —
Hatt' er an diesem Liebeswerk allein.
Nachdem vom Boden er mir aufgeholfen,
Bückt er sich nochmals, und mit mir zusammen
Las er die Bohnen aus dem Staub der Straße
In meinen Korb hinein, den er geholt,

12*

Nicht seiner schönen, saubern Kleidung achtend,
Die in Berührung mit dem Staube kam,
Und nicht der Menschen achtend, welche bald
Hinstellten sich und lachten über uns.
Die Arbeit tat er eigentlich allein,
Weil ich mit meinen alten, steifen Fingern
So schnell nicht war und so gewandt wie er.
Und während er bei dieser Arbeit war,
Nicht schämend sich so ungewohnter Mühe,
Sprach er mir freundlich zu und fragte oft mich,
Ob ich mir nicht beim Fallen wehgetan.
Dann ging er noch ein Weilchen neben mir,
Gewiß zu sein, daß ich nicht schwer verletzt war
Und ohne Hilfe konnt' nach Hause gehn.
Das ist derselbe, den du fortgeschickt
Vom Himmel hast, weil dieses du nicht wußtest,
Und einen bessern Menschen sah ich nie.
Ich habe niemals wieder ihn gesehen
Und hab' es niemals ihm vergelten können,
Was er an mir aus Herzensgüte tat.
Wie konnt' ich auch, solang ich auf der Erde
In tiefster Armut lebte, ihm vergelten
Und wie ihm wieder etwas Gutes tun?
Nun aber ist der Tag für mich gekommen,
An dem ich mich erkenntlich zeigen kann.
Könnt' ich für ihn den Himmel nicht erflehn,
Müßt' ich mir ewig undankbar erscheinen —
Ich bitte dich, Sankt Peter, laß ihn ein!
Soll aber ihm verschlossen sein die Tür,
So will auch ich zurückgehn meines Wegs."
Sankt Peter hatte lächelnd zugehört,

Dann aber ernster ward sein Angesicht,
Und dies erwidert' er der Alten: „Kühn
Hast du geredet, ja vermessen fast
Möcht' ich die Worte nennen, die du wagtest.
Was du dem armen Sünder als Verdienst
Willst angerechnet sehn, ist doch fürwahr
Nur so geringer Art und wiegt so leicht,
Daß ich es nimmer könnte gelten lassen,
Wärst du es nicht, die sich für ihn verwandt.
Auch so ist schlimm und zweifelhaft der Fall,
Weil aber du es zur Bedingung machst,
Daß er mit dir soll in den Himmel kommen,
Wenn selber dich der Himmel haben soll,
Und weil wir dich hier nicht vermissen können —
Denn alles hat sich schon gefreut auf dich —
So merk' ich wohl: Wir müssen dir zuliebe
Aufnehmen ihn, so wenig er's verdient.
Geh nur hinein! Er folgt dir alsobald."

Sankt Peter sprach's und schob sie in den Himmel.
Dann einen Engel sandt' er ab sogleich,
Zurückzurufen den, der traurig war
Gegangen von des Paradieses Pforte.

Die Armut

Armut macht frei, Armut macht frei
Von soviel Fesseln und Ketten!
Wie wenig sie auch willkommen sei,
Wie hart sie dir auch mag betten:

Blick' ihr vertrauend ins Gesicht,
Sie kommt vielleicht als Feindin nicht,
Sie kommt vielleicht, dich zu retten.

Guter Rat

Geh früh ans Werk getrost und frisch,
Dann gibt es wenig Reste.
Vom Tag ist wie von manchem Fisch
Das Vorderstück das beste.

Schlüssel zur Welt

Ein Schlüssel zur Welt
Ohne Zweifel ist das Geld.
Wie viele, statt dessen zu genießen,
Brauchen's, die Welt sich zu verschließen!

Den Besitzenden

Seht auf das Wort, seht auf das Wort,
Wenn von dem armen Volk ihr sprecht!
Es ist ein Richter über uns,
Der richten wird streng und gerecht!

Unmäßig und begehrlich nennt
Ihr gern das Volk, das viel entbehrt;
Blickt in das Herz, ins eigne Herz
Und prüft, wieviel ihr selbst begehrt.

Ihr klaget gerne, daß mit Neid
Aufblickt zu euch der ärmre Mann;
Wenn zu dem Reichern ohne Neid
Ihr selbst emporblickt, klaget an!

Ihr wißt nicht, wie an armem Herd,
Ein Schreckgespenst, sich setzt die Not;
Ihr wißt nicht, wie zum Herzen klingt
Der eignen Kinder Schrei nach Brot.

Ihr dürft nicht zittern, daß ein Tag
Euch heimlos ausstößt in die Welt,
Daß auf das Bett, wo zartes Haupt
Ruhn soll, der kalte Regen fällt.

Wie Elend sich bewaffnen muß,
Um rein zu bleiben, wißt ihr nicht.
Der Armut Ehre preiset hoch,
Ihr Antlitz strahlt von reinstem Licht.

Von e i n e r Art sind arm und reich —
Seid hilfreich, freundlich und gerecht!
Seht auf das Wort, seht auf das Wort,
Wenn von dem armen Volk ihr sprecht.

Jelängerjelieber

Über den Zaun herüber
Rankt sich duftend Jelängerjelieber.
Je länger, je lieber, das klingt so süß,
Wenn's nie doch scheiden und meiden hieß!

Drei Rosengärten

Ein Rosengarten im Tale
Erblüht gar wunderbar;
Es schließen dem Sonnenstrahle
Sich auf die Rosen klar.

Darüber auf Bergeswarten
In unnahbarer Höh
Blüht auf ein Rosengarten
Aus Sonnenglanz und Schnee.

Hoch über den Zacken droben
Erblüht in reinster Luft
Ein Rosengarten, gewoben
Aus Morgenlicht und Duft.

Drei Rosengärten über
Einander — wie das erglüht!
Mir ahnt es, daß darüber
Noch einer, der schönste, blüht.

An ein Kind

Gesichtlein du in goldnem Haar,
Ihr Augen beide, blau und klar,
Du liebes Ding, du süßes Blut,
Wenn du bei mir bist, geht's mir gut.

Laß immer doch die Menschen, laß
Sie draußen reden dies und das;
Wenn ich dein hold Geplauder hör',
Gilt nichts mir all ihr Reden mehr.

Und bin ich arm, du machst sogleich
Allein mich durch dein Lächeln reich.
Kein König hat das Gold dazu,
So zu beschenken mich wie du.

Die Welt mag aussehn, wie sie will,
Wenn ich dich anschau', bin ich still.
Wie du hineinblickst in die Welt,
Das ist's, was mir allein gefällt.

Wie blickst du in die Welt hinein!
Sie kann doch gar so arg nicht sein,
Solang für dich der Vogel schlägt,
Für dich die Wiese Blumen trägt.

Laß Sorgen kommen über mich,
Wenn sie zu schlimm sind, ruf' ich dich.
Du scheuchst sie leicht von mir zurück,
Denn dich nur ansehn ist schon Glück.

Kleinigkeiten

Es gibt einen Hauskobold von sehr bösartigem Wesen, der heißt: Verschobene Arbeit. Hat man ihn eingelassen, so ist er schwer wieder fortzubannen. Man weiß wohl, wo er sitzt, sei es im Garten oder in der Scheune oder im Keller oder in einem Schrank, aber man scheut sich so sehr vor ihm, daß man am liebsten gar nicht sich nach ihm umsieht, und fällt es einem ein, daß er da ist, so pfeift man wohl ein Liedchen, um sich auf andere Gedanken zu bringen. Und doch ist dieser Hauskobold überaus schädlich, verdirbt den Hausrat, zerfrißt die Kleider und nimmt dem Tagewerke den Segen. Mit Sprüchlein und Kräutern ist nichts gegen ihn zu machen. Abwarten, ob er vielleicht von selbst geht, ist unratsam; denn je länger er bleibt, um so größer und unangenehmer wird er. Nur eins hilft: Man muß dreist auf ihn zugehn, ihn kräftig anpacken und ihn eins, zwei, drei! aus dem Hause werfen.

Vielen Leuten scheint es unmöglich zu sein, sich schlicht und einfach über eine Sache auszudrücken, sie können nicht anders als in lauter Übertreibungen reden. Toll! fabelhaft! himmelschreiend! gräßlich! sind ihre gewöhnlichen Ausdrücke für gut, schön, schlecht usw. Das ist aber eine Mißhandlung der Sprache und wer die Gewohnheit hat, so zu reden, möge sich doch bemühn, davon zu lassen. Dieses Bemühn wird ihn dazu anregen, auch schlicht und einfach d e n k e n zu lernen.

Keine Gesellschaft ist unangenehm, die aus redlichen und tüchtigen Männern besteht; redliche und tüchtige Männer aber gibt es in jedem Stande, auch in dem niedrigsten. Eine unangenehme Gesellschaft dagegen, mit der ein anständiger Mann nicht zu tun haben mag, ist diejenige, zu welcher Narren und Lumpen gehören; Narren und Lumpen aber kommen in jedem Stande vor, auch in dem höchsten.

E r s t e s H a u s g e i s t c h e n. Ich bin ernstlich mit dem Gedanken umgegangen; dieses Haus zu verlassen. Man kommt immer mehr um seine Ruhe. Ich kann dir nicht sagen, wie sehr das Geräusch mir zuwider ist, welches seit einigen Tagen durch die Nähmaschine verursacht wird.

Z w e i t e s. Es ist unangenehm, aber man gewöhnt sich daran.

E r s t e s. Ja, man muß sich an vieles bei den Menschen gewöhnen. Es ist sonderbar, welche Anziehungskraft sie für Unangenehmes haben. Überall, wohin sie gehn, folgen ihnen die garstigsten Tiere nach. Ich weiß nicht, ob du es bemerkt hast, daß auch allerlei bleichblättriges, fahles oder stachliges Pflanzengesindel sich überall da ansiedelt, wo der Maurer und Zimmermann gearbeitet haben.

Z w e i t e s. Ich habe es wohl bemerkt; aber das ist noch nicht das Schlimmste. Ganz andere Unholde noch folgen den Menschen: der Reichtum, der sie oft unmäßig und hart macht; der Mangel, der sie elend macht oder neidisch; die Sorge, die ihnen des Nachts nicht Ruhe läßt, so daß sie im Hause umhergehn und uns erschrecken.

Erstes. Ja, die Menschen sind schlimme Geschöpfe.

Zweites. Wären sie das, blieb' ich nicht hier. Glaube
mir, sie sind im Grunde doch gut von Herzen.

Erstes. Ich will dir glauben, daß sie von Herzen nicht
schlecht sind; aber das mußt du mir zugeben: sie haben sehr
schlechte Bekanntschaften.

Kleine Übervorteilungen im Handel glauben die meisten
Leute sich erlauben zu dürfen, ohne dadurch mit dem Gewissen
und mit dem Recht in Streit zu kommen. Ein gewöhnlicher
Kunstgriff der Handelsleute auf dem Markt ist es, daß sie die
besten Stücke ihrer Ware nach oben in das Maß tun. So
fällt es schön in die Augen, unten aber liegt dann, was klein
und dürftig oder vom Wurmfraß und Fäulnis heimgesucht ist,
was traurig zu finden ist und weder gesund noch angenehm
zu essen. Schon die Kinder, welche Erdbeeren zum Verkauf
im Walde suchen, kennen den Brauch, die besten Früchtchen
obenauf zu legen, die unansehnlichen aber nach unten zu packen,
wo sie dann durch den Druck und durch die schlechte Gesellschaft noch schlechter werden. Wer nun ordentlich zusieht, daß
er nicht betrogen werde, der handelt zu seinem eigenen und
auch zu des Verkäufers Vorteil.

Übrigens kommt ähnliches auch vor beim Handel im großen.
Ja, es gibt ganze Menschen, bei denen das Beste oben liegt.
Wenige sind durch und durch gleich gut: bei manchen liegt
auch das Beste unten.

Schriften von ❀ ❀ ❀ ❀ ❀ ❀ ❀ ❀ Johannes Trojan:

Hundert Kinderlieder. Geh. 2 M., geb. 3 M.

Von Einem zum Andern. Gesammelte Erzählungen. 2. Auflage.
Geh. 3 M., geb. 4 M.

Zwei Monat Festung. 5. Auflage. Geh. 2 M., geb. 3 M.

Auf der anderen Seite. Streifzüge am Ontario-See. Geh. 2 M.,
geb. 3 M.

Aus dem Leben. Gedichte. Geh. 3 M., geb. 4 M.

Berliner Bilder. Hundert Momentaufnahmen. 2. Auflage.
Geh. 3 M., geb. 4 M.

Allen seinen Freunden und Verehrern hat Johannes Trojan mit diesen Berliner Bildern eine große Freude bereitet. Mit Recht nennt er sie Momentaufnahmen, denn sie halten in vorzüglicher Weise einen Punkt, eine Erscheinung, ein Geschehnis aus dem Leben und Treiben der Straße, aus den kleinen Leiden und Freuden des Hauses, aus dem Wechsel der Jahreszeiten fest. Bescheiden gibt er sich nur als Amateur-Photograph, aber wer es nicht schon wüßte, würde es bald beim Lesen merken, welch ein Künstler der Kleinkunst in ihm steckt. Durch die Schärfe und Frische ihrer Beobachtung, durch ihre Kürze und Abrundung sind diese Bilder kleine Kunstwerke eines echten Genremalers, die sich in ihrer Art neben denen unseres alten lieben Chodowiecki sehen lassen können. Aber es ist nicht die Kunst allein, die sie auszeichnet, noch mehr erfreut den auf ihnen ruht, die Wärme eines fröhlichen und gütigen Gemüts, die von ihnen ausströmt. Hier gibt es weder eine weltschmerzliche Klage noch die ewige Nörgelei, die alles besser weiß und alles anders haben möchte, als es in dieser bedürftigen Welt nun einmal ist. Gewiß, unserm Freunde ist nichts Menschliches fremd, und er hat in einem langen Leben auch des Schmerzlichen und Bitteren genug erfahren, aber er hat sich dadurch den Humor und die optimistische Weltanschauung nicht trüben und zerstören lassen. Gerade weil er das Kleine sieht und schätzt, empfindet er den Sonnenstrahl, der auch in einen Keller fällt, um so wohliger. Diese liebevolle Schilderung der Kleinwelt und des Alltagslebens auf dem Hintergrund der Großstadt besitzt einen Reiz der Frische und der Lebensheiterkeit, dem sich kein Leser, mag er auch noch so gereizt im Pessimismus oder in der Großmannssucht sein, auf die Dauer zu entziehen vermag.

(Karl Frenzel in der Nationalzeitung)

G. Grote'sche Verlagsbuchhandlung in Berlin

Erzählende Dichtungen ❁ ❁
von Ernst von Wildenbruch:

Der Astronom. Erzählung. 9. Tausend. Geh. 2 M., geb. 3 M.

Aus Liselottes Heimat. Ein Wort zur Heidelberger Schloßfrage. Jllustriert. Geh. 1 M.

Unser Bismarck. Gedicht. Geh. 50 Pf.

Das edle Blut. Erzählung. Mit Zeichnungen von Carl Röhling. 84. Tausend. Kart. 1,50 M., geb. 2,20 M.

Claudia's Garten. Legende. Mit Zeichnungen von Carl Röhling. 15. Aufl. Kart. 1,50 M., geb. 2,20 M.

Die Danaide. Erzählung. Mit Zeichnungen von Herm. Vogel. 5. Tausend. Kart. 1,50 M., geb. 2,20 M.

Francesca von Rimini. Erzählung. 3. Aufl. Geh. 2 M., geb. 3 M.

Unter der Geißel. Erzählung. 7. Tausend. Kart. 2,20 M., geb. 3 M.

Heros, bleib bei uns! Gedicht zum Hundertjahrestag von Schillers Heimgang. Geh. 20 Pf.

Das schwarze Holz. Roman. 13. Tausend. Geh. 4 M., geb. 5 M.

Kindertränen. Zwei Erzählungen. Neue Ausgabe mit Buchschmuck von H. Vogeler-Worpswede. 45. Tausend. Kart. 1,50 M., geb. 2,20 M.

Lachendes Land. Neue, vermehrte Ausgabe der „Humoresken". 15. Tausend. Geh. 4 M., geb. 5 M.

Eifernde Liebe. Roman. 15. Tausend. Geh. 4 M., geb. 5 M.

Lieder und Balladen. Mit dem Porträt des Verfassers. 8. Aufl. Geh. 4 M., geb. 5 M.

Lukrezia. Ein Roman. 10. Tausend. Geh. 5 M., geb. 6 M.

Der Meister von Tanagra. Eine Künstlergeschichte aus Alt-Hellas. 10. Aufl. Mit Bildern von Franz Staffen. Kart. 2,20 M., geb. 3 M.

Neid. Erzählung. 22. Tausend. Kart. 2,20 M., geb. 3 M.

Novellen. 10. Aufl. Geh. 4 M., geb. 5 M.

Neue Novellen. 10. Aufl. Geh. 4 M., geb. 5 M.

Sedan. Heldenlied in drei Gesängen. 4. Aufl. Geh. 1 M., geb. 2 M.

Semiramis. Erzählung. 8. Tausend. Kart. 3 M., geb. 3,60 M.

Vice-Mama. Erzählung. 17. Tausend. Kart. 3 M., geb. 3,60 M.

Vionville. Heldenlied in drei Gesängen. 4. Aufl. Geh. 1 M., geb. 2 M.

Tiefe Wasser. Fünf Erzählungen. 6. Aufl. Geh. 4 M., geb. 5 M.

Ein Wort über Weimar. Flugschrift. Geh. 20 Pf.

Der Zauberer Cyprianus. Legende. 4. Aufl. Geh. 3 M., geb. 4 M.

G. Grote'sche Verlagsbuchhandlung in Berlin